사고력을 키우는
팩토
연산

C03
혼합 계산

 매스티안

구성과 특징

1주 연산 원리 학습

붙임 딱지 등의 활동으로
연산 원리를 재미있게 체득

2주 연산 응용 학습

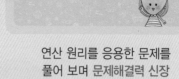

연산 원리를 응용한 문제를
풀어 보며 문제해결력 신장

정답

아이와 자연스럽게 학습을 시작할 수
있도록 스토리텔링 방식 도입

아이들이 배우는 연산 원리에 대한
학습가이드 제시

연산 실력 체크 **진단** + **보충** 온라인 보충 학습

온라인 활동지

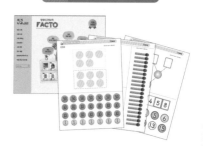

2~4주차 사고력 연산을
학습하기 전에 연산 실력 체크

매스티안 홈페이지에서 제공하는
보충 학습으로 연산 원리 다지기

매스티안 홈페이지에서 제공하는
활동지로 사고력 연산 이해도 향상

4주 사고력 학습 2

연산 원리를 바탕으로 한 사고력 연산
문제를 풀어 보며 수학적 사고력과 창의력 향상

3주 사고력 학습 1

연산 원리를 바탕으로 한 사고력 연산
문제를 풀어 보며 수학적 사고력과 창의력 향상

· 3, 4주차 1일 학습 흐름 ·

 →  → 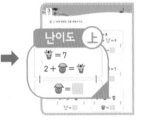 →

특정 주제를 쉬운 문제부터 목표 문제까지 차근차근
학습할 수 있도록 설계 되어 있어 자기주도학습 가능

✦ App Game 팩토 연산 SPEED UP

앱스토어에서 무료로 다운받은
팩토 연산 SPEED UP으로 덧셈, 뺄셈,
곱셈, 나눗셈의 연산 속도와 정확성 향상

✦ 부록 칭찬 붙임 딱지, 상장

학습 동기 부여를 위한
칭찬 붙임 딱지와 연산왕 상장

사고력을 키우는 팩토 연산 시리즈

 P | 권장 학년 : 7세, 초1 |

권별	학습 주제	교과 연계
P01	10까지의 수	❶학년 1학기
P02	작은 수의 덧셈	❶학년 1학기
P03	작은 수의 뺄셈	❶학년 1학기
P04	작은 수의 덧셈과 뺄셈	❶학년 1학기
P05	50까지의 수	❶학년 1학기

A | 권장 학년 : 초1, 초2 |

권별	학습 주제	교과 연계
A01	100까지의 수	❶학년 2학기
A02	덧셈구구	❶학년 2학기
A03	뺄셈구구	❶학년 2학기
A04	(두 자리 수)+(한 자리 수)	❷학년 1학기
A05	(두 자리 수)−(한 자리 수)	❷학년 1학기

 B | 권장 학년 : 초2, 초3 |

권별	학습 주제	교과 연계
B01	세 자리 수	❷학년 1학기
B02	(두 자리 수)+(두 자리 수)	❷학년 1학기
B03	(두 자리 수)−(두 자리 수)	❷학년 1학기
B04	곱셈구구	❷학년 2학기
B05	큰 수의 덧셈과 뺄셈	❸학년 1학기

C | 권장 학년 : 초3, 초4 |

권별	학습 주제	교과 연계
C01	나눗셈구구	❸학년 1학기
C02	두 자리 수의 곱셈	❸학년 2학기
C03	혼합 계산	❹학년 1학기
C04	큰 수의 곱셈과 나눗셈	❹학년 1학기
C05	분수·소수의 덧셈과 뺄셈	❹학년 1학기

C03 혼합 계산 목차

C03권에서는 자연수의 덧셈, 뺄셈, 곱셈, 나눗셈이 섞여 있는 계산에서 계산 순서를 학습합니다. 자연수의 덧셈, 뺄셈, 곱셈, 나눗셈의 계산을 최종 마무리하는 학습 단계로 +, − 가 섞여 있는 간단한 계산의 순서부터 +, −, ×, ÷가 섞여 있는 복잡한 계산의 순서까지 차례대로 학습합니다. 마지막으로 ( )가 있는 경우에는 제일 먼저 ( ) 안의 계산부터 한다는 것을 학습합니다.

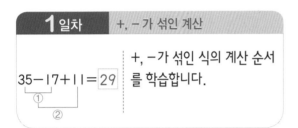

1일차	+, − 가 섞인 계산
$35-17+11=29$ ① ②	+, − 가 섞인 식의 계산 순서를 학습합니다.

2일차	×, ÷가 섞인 계산
$3\times12\div6=6$ ① ②	×, ÷가 섞인 식의 계산 순서를 학습합니다.

학습관리표

일 자			소요 시간	틀린 문항 수	확인
❶ 일차	월	일	:		
❷ 일차	월	일	:		
❸ 일차	월	일	:		
❹ 일차	월	일	:		
❺ 일차	월	일	:		

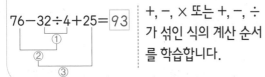

3일차 +, −, × 또는 +, −, ÷가 섞인 계산

$76-32\div4+25=\boxed{93}$

+, −, × 또는 +, −, ÷가 섞인 식의 계산 순서를 학습합니다.

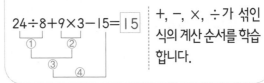

4일차 +, −, ×, ÷가 섞인 계산

$24\div8+9\times3-15=\boxed{15}$

+, −, ×, ÷가 섞인 식의 계산 순서를 학습합니다.

5일차 ( )가 섞인 계산

$30-(16-10)\div2=\boxed{27}$

( )가 섞인 식의 계산 순서를 학습합니다.

연산 실력 체크

1주차 학습에 이어 2, 3, 4주차 학습을 원활히 하기 위하여 연산 실력 체크를 합니다.
연습이 더 필요할 경우에는 매스티안 홈페이지의 보충 학습을 풀어 봅니다.

①주

+, −가 섞인 계산

🌷 그림을 빈 곳에 알맞게 붙이고, 순서에 따라 식을 계산하시오.

준비물 ▶ 붙임 딱지

1부   동전 마술

테이블 위에 동전 7개가 있었습니다. 마술사가 마술 봉을 위로 올리니 동전 3개가 올라가고 다시 내리니 동전 1개만 내려갔습니다. 테이블 위에 있는 동전은 모두 몇 개입니까?

① 7−3

→

② 7−3 +1

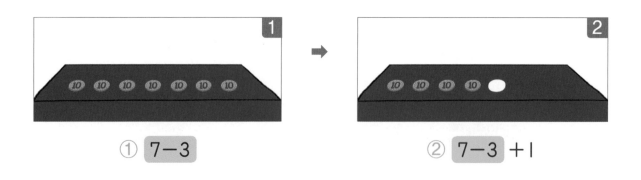

$$7 - 3 + 1 = \boxed{}$$

① ▢

② ▢

😊 ▦ 안에 알맞은 수를 써넣어 차례대로 계산하시오.

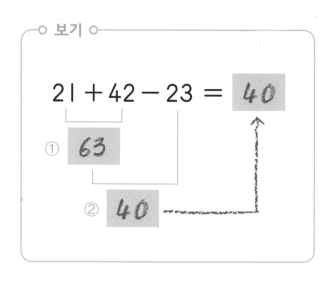

$35 - 17 + 11 =$ ▢

① 18

②

$34 + 23 + 19 =$ ▢

①

②

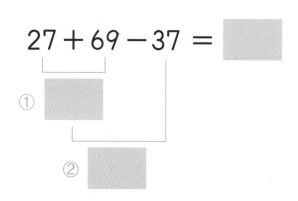

$27 + 69 - 37 =$ ▢

①

②

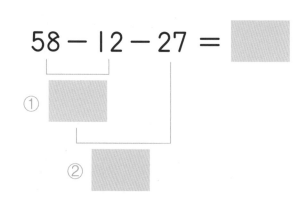

$58 - 12 - 27 =$ ▢

①

②

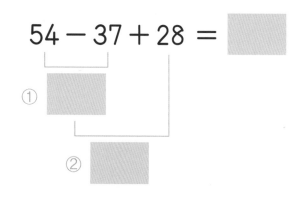

$54 - 37 + 28 =$ ▢

①

②

⚲ 계산 순서를 나타내고 계산을 하시오.

$$15 + 24 + 12 = \boxed{51}$$

① 39
② 51

$$38 + 17 - 23 = \boxed{}$$

①
②

$$24 + 29 + 18 = \boxed{}$$

$$13 + 53 - 39 = \boxed{}$$

$$12 + 17 + 45 = \boxed{}$$

$$52 + 36 - 16 = \boxed{}$$

$$15 + 45 + 24 = \boxed{}$$

$$75 + 17 - 47 = \boxed{}$$

$23 - 19 + 34 =$

$41 - 13 - 18 =$

1
C03

$56 - 34 + 25 =$

$62 - 22 - 16 =$

$67 - 29 + 32 =$

$84 - 37 - 17 =$

$50 - 16 + 47 =$

$93 - 45 - 25 =$

1 일차

⚘ 계산을 하시오.

$21 + 26 - 13 =$

$13 + 17 + 22 =$

$54 - 32 + 35 =$

$90 - 29 - 38 =$

$32 + 67 - 53 =$

$58 - 34 + 19 =$

$42 + 25 + 24 =$

$75 - 15 - 43 =$

$56 - 36 + 26 =$

$62 - 37 + 45 =$

$34 - 12 + 25 =$

$23 + 17 + 13 =$

$25 + 23 - 29 =$

$35 - 12 + 41 =$

$54 - 26 - 18 =$

$30 + 13 - 16 =$

$40 + 15 + 14 =$

$55 - 29 + 12 =$

$94 - 47 - 33 =$

$72 + 18 - 39 =$

1

C03

×, ÷가 섞인 계산

❀ 그림을 빈 곳에 알맞게 붙이고, 순서에 따라 식을 계산하시오.

2부   꽃 마술

마술사가 장미꽃 2송이를 준비했습니다. 꽃을 손수건으로 가렸다가 빼내었더니 장미꽃이 6배가 되었습니다. 이 장미꽃을 관객 3명에게 똑같이 나누어 주었다면, 관객 1명이 받은 꽃은 몇 송이입니까?

① 2×6

② 2×6 ÷3

$$2 \times 6 \div 3 = \boxed{}$$

①

②

공부한 날   월   일

😊 ▨ 안에 알맞은 수를 써넣어 차례대로 계산하시오.

1
C03

◦ 보기 ◦

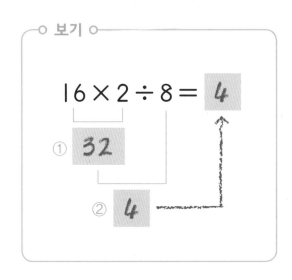

$16 \times 2 \div 8 =$ 4

① 32

② 4

$21 \div 3 \times 8 =$

① 7

②

$3 \times 12 \div 6 =$

①

②

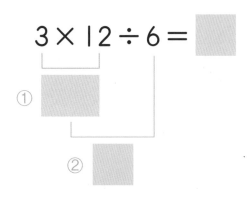

$63 \div 7 \div 3 =$

①

②

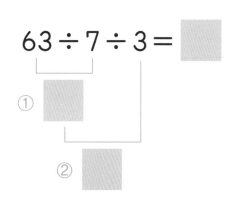

$12 \times 2 \times 3 =$

①

②

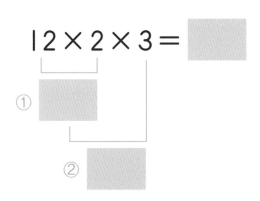

$64 \div 8 \times 9 =$

①

②

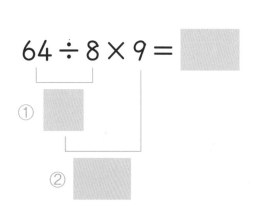

○ 계산 순서를 나타내고 계산을 하시오.

$3 \times 8 \times 2 =$ 48

① 24
② 48

$4 \times 14 \div 7 =$

①
②

$5 \times 2 \times 3 =$

$12 \times 3 \div 9 =$

$6 \times 3 \times 5 =$

$4 \times 12 \div 6 =$

$2 \times 6 \times 4 =$

$10 \times 2 \div 5 =$

$7 \times 5 \times 2 =$

$21 \times 2 \div 7 =$

$40 \div 5 \times 6 =$

$54 \div 9 \div 3 =$

$14 \div 2 \times 8 =$

$30 \div 6 \div 5 =$

$24 \div 8 \times 4 =$

$32 \div 4 \div 2 =$

$63 \div 9 \times 6 =$

$48 \div 8 \div 3 =$

$27 \div 3 \times 9 =$

$42 \div 7 \div 2 =$

2
일차

🌻 계산을 하시오.

$10 \times 2 \div 4 =$

$14 \div 2 \times 14 =$

$12 \times 3 \div 6 =$

$3 \times 10 \times 3 =$

$12 \times 3 \div 9 =$

$30 \div 6 \times 5 =$

$21 \times 2 \div 7 =$

$32 \div 8 \times 9 =$

$6 \times 12 \div 8 =$

$3 \times 12 \times 2 =$

$4 \times 12 \div 8 =$

$56 \div 7 \times 6 =$

$5 \times 9 \div 5 =$

$14 \times 3 \times 2 =$

$16 \div 4 \div 2 =$

$48 \div 8 \times 8 =$

$21 \times 3 \div 9 =$

$18 \div 3 \times 7 =$

$4 \times 18 \div 9 =$

$42 \div 6 \times 8 =$

1

C03

오늘은 얼마나 잘했을까요?

칭찬 붙임 딱지를
붙여 주세요!

3
일차

+, −, × 또는 +, −, ÷가 섞인 계산

🌷 그림을 빈 곳에 알맞게 붙이고, 순서에 따라 식을 계산하시오.

준비물 ▶ 붙임 딱지

3부 구슬 마술

빨간 구슬을 넣으면 3배의 구슬이 나오고, 파란 구슬을 넣으면 4배의 구슬이 나오는 마술 모자가 있습니다. 빨간 구슬 2개와 파란 구슬 3개를 마술 모자에 넣으면 구슬이 모두 몇 개 나올까요?

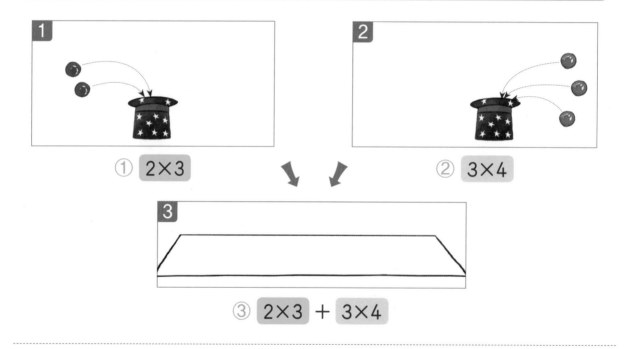

① $2×3$

② $3×4$

③ $2×3 + 3×4$

$$2 × 3 + 3 × 4 =$$

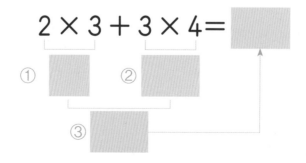

① ② ③

선을 긋고 번호를 써서 계산 순서를 나타내시오.

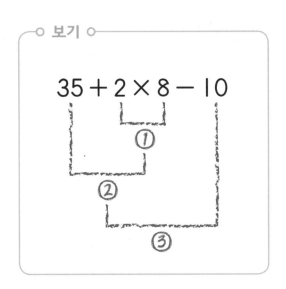

보기

$$35 + 2 \times 8 - 10$$

① ② ③

$$76 - 32 \div 4 + 25$$

$$43 - 29 - 56 \div 7$$

$$20 \times 2 + 9 + 31$$

$$62 + 7 \times 6 - 47$$

$$93 - 29 + 30 \div 6$$

3
일차

Ⓞ 계산 순서를 나타내고 계산을 하시오.

$27+5×10-19=$ **58**
① 50
② 77
③ 58

$15+45-4×11=$
② ① ③

$30×2-19+31=$

$96-3×28+25=$

$23+5×28-64=$

$87+17-6×15=$

$7×24+12-87=$

$65-14×3+48=$

22 · C03 혼합 계산

$37+24\div4-12=$ ☐

$25+35-27\div3=$ ☐

$50-40\div5-30=$ ☐

$18\div6+53-12=$ ☐

$50-19+28\div7=$ ☐

$75-30-32\div4=$ ☐

$63\div9+13+58=$ ☐

$32-40\div8+26=$ ☐

3 일차

📍 계산을 하시오.

$5 \times 9 - 12 + 26 =$

$40 - 17 + 28 \div 7 =$

$19 + 18 \div 3 - 9 =$

$24 \times 4 - 54 + 48 =$

$9 \times 2 + 32 - 37 =$

$45 \div 5 + 53 - 14 =$

$81 + 42 \div 6 - 5 =$

$91 - 80 + 21 \times 4 =$

$87 - 2 \times 9 - 36 =$

$46 + 34 - 24 \div 8 =$

$40-4\times8+48=$

$24\div6+25-15=$

$52+5\times8-67=$

$77-24-36\div9=$

1
C03

$9-32\div4+26=$

$21\times4-27-42=$

$97-7\times12+9=$

$50-35\div7+47=$

$78-14-3\times8=$

$18\div6+53+23=$

🌷 그림을 빈 곳에 알맞게 붙이고, 순서에 따라 식을 계산하시오.

준비물 ▶ 붙임 딱지

4부   **휴지 마술**

빨간색 상자에서 휴지 1장을 뽑으면 비둘기가 2마리씩, 파란색 상자에서 휴지 3장을 뽑으면 비둘기가 1마리씩 나와 테이블에 앉습니다. 빨간 상자에서 휴지 3장을, 파란 상자에서 휴지 6장을 뽑아 나온 비둘기 중 2마리가 마술사의 팔에 앉았습니다. 테이블 위에 앉은 비둘기는 모두 몇 마리입니까?

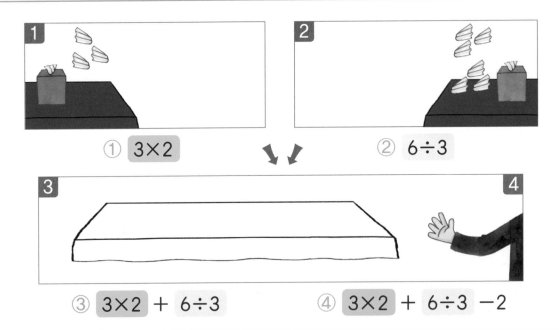

① 3×2 ② $6 \div 3$

③ $3 \times 2 + 6 \div 3$ ④ $3 \times 2 + 6 \div 3 - 2$

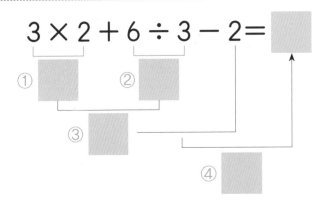

$$3 \times 2 + 6 \div 3 - 2 =$$

선을 긋고 번호를 써서 계산 순서를 나타내시오.

1

C03

── 보기 ──

$$35 + 14 - 8 \times 3 \div 6$$

③　　　①

②

④

$$24 \div 8 + 9 \times 3 - 15$$

$$8 \times 6 - 15 + 18 \div 6$$

$$45 + 3 \times 5 - 35 \div 7$$

$$80 - 12 \div 4 + 3 \times 2$$

$$27 \div 9 \times 6 + 21 - 8$$

♀ 계산 순서를 나타내고 계산을 하시오.

$35 + 5 - 8 \times 3 \div 6 =$ `36`

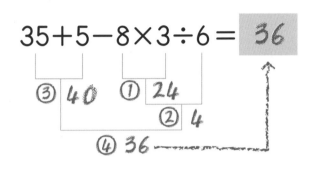

③ 40 ① 24
② 4
④ 36

$23 \times 3 + 12 \div 2 - 3 =$

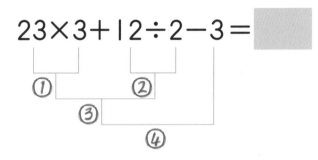

①   ②
③
④

$67 - 5 + 4 \times 3 \div 6 =$

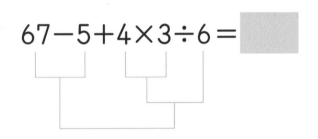

$50 + 4 \times 5 - 24 \div 3 =$

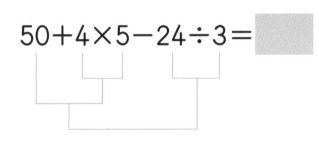

$8 + 25 \div 5 \times 3 + 3 =$

$40 \div 8 + 10 \times 2 - 5 =$

$5 + 8 \times 4 - 21 \div 7 =$

$28 \div 4 + 22 - 3 \times 5 =$

$4 \times 8 - 24 \div 3 + 72 =$ ☐

$25 + 14 \div 7 \times 3 - 6 =$ ☐

$8 + 3 \times 12 - 25 \div 5 =$ ☐

$42 \div 6 + 4 \times 9 - 17 =$ ☐

$30 - 8 \times 2 + 36 \div 6 =$ ☐

$6 \times 4 \div 8 + 31 - 12 =$ ☐

$60 - 9 + 12 \times 3 \div 9 =$ ☐

$4 \times 7 + 20 - 18 \div 3 =$ ☐

⚲ 계산을 하시오.

$18+4\times9-12\div3=$ ☐ $25\div5+32-2\times6=$ ☐

$46+14-6\times3\div2=$ ☐ $32-28\div7+3\times5=$ ☐

$4\times6\div8+27-19=$ ☐ $12-9+27\div3\times8=$ ☐

$16+20\div5\times6-8=$ ☐ $27-14\div2+8\times4=$ ☐

$21\div7+39-3\times9=$ ☐ $6\times14-28\div4+3=$ ☐

$63+7-35\div5\times6=$ $10\times4-10+12\div6=$

$48\div8+9\times2-14=$ $24-18\div6\times4+15=$

$16+9\times2-24\div6=$ $36+14-12\times3\div6=$

$50+4\times6\div8-25=$ $32\div4+45-12\times3=$

$7\times4+14\div7-14=$ $18+14\times2-48\div8=$

오늘은 얼마나 잘했을까요?

칭찬 붙임 딱지를
붙여 주세요!

( )가 섞인 계산

❦ 그림을 빈 곳에 알맞게 붙이고, 순서에 따라 식을 계산하시오.

준비물 ▶ 붙임 딱지

5부 카드 마술

마술사가 오른손에는 카드 5장을, 왼손에는 카드 6장을 들고 있습니다. 두 손에 있는 카드를 모은 다음 손으로 카드를 문질러서 테이블에 놓았더니 카드의 수가 3배가 되었습니다. 테이블에 놓인 카드는 모두 몇 장입니까?

① 5+6

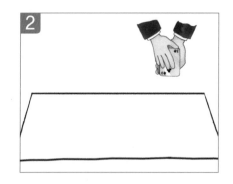

② (5+6)×3

$$(5+6) \times 3 =$$

① ②

· C03 혼합 계산

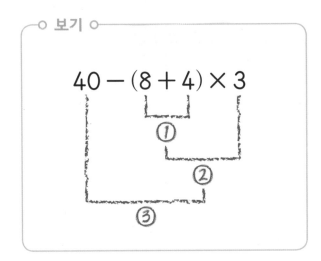

😀 선을 긋고 번호를 써서 계산 순서를 나타내시오.

○ 보기 ○

$40 - (8 + 4) \times 3$

$7 + 30 \div (10 - 5)$

$(24 + 6) \times 4 - 30$

$5 \times 6 - (21 - 7)$

$16 - (20 - 8) \div 4$

$(35 + 7) \div 6 + 15$

⚲ 계산 순서를 나타내고 계산을 하시오.

$28+(6+5)\times2=$ **50**

① 11
② 22
③ 50

$30-(16-10)\div2=$

$42-(4+2)\times5=$

$50-8-(21-4)=$

$49\div(9-2)+8=$

$(12+8)\times2-23=$

$2+(46-6)+8=$

$28\div(3+4)\times15=$

$(16+4)\times3-31=$

$40-(6+4)-15\div5=$

1
C03

$9+(65-30)\div7=$

$27-10+2\times(9+5)=$

$51-(22-2)\div5=$

$(25-5)\times3+48\div6=$

$(25+5)\div6\times13=$

$27\div(6-3)+45\div5=$

☻ 계산을 하시오.

$12 \div (7-4) \times 20 =$ ⬜

$32 - (21-7) \div 2 =$ ⬜

$80 - 8 \times (3+5) =$ ⬜

$17 + 2 \times (24-5) =$ ⬜

$45 + (6+5) \times 2 =$ ⬜

$9 + (15+33) \div 6 =$ ⬜

$36 - 8 \div (8-6) =$ ⬜

$(75-19) - 4 \times 7 =$ ⬜

$3 \times (2+11) \times 2 =$ ⬜

$9 + (27+54) \div 9 =$ ⬜

$9+(31-7)\div6=$

$62-(22+4)-15\div3=$

$4+(12-8)\times9=$

$50-(34-10)\div8\times7=$

$5\times(43-35)\times2=$

$(13+14)\times3+72\div9=$

$(6+11)\times2-8=$

$40-(21+4)-15\div5=$

$25\times4-(6+4)=$

$9\times10-(17+3)\div4=$

1
C03

연산 실력 체크

정답 수	/ 40개
날 짜	월 일

🐥 2~4주 사고력 연산을 학습하기 전에 기본 연산 실력을 점검해 보세요.

1. $24+43-17=$

2. $50-15+26=$

3. $62-27-23=$

4. $3\times2\times16=$

5. $42\div7\times9=$

6. $12\times2\div4=$

7. $60+2\times19=$

8. $45\div5+32=$

9. $6+9\times3-8=$

10. $4\times3+8\div2=$

11. $7+54\div6-5=$

12. $32-6\times6\div4=$

13.

$65-(16+4)=$

14.

$70-(20-8)=$

15.

$56-(16-9)=$

16.

$42+(30-6)=$

17.

$87-(8+4)\times5=$

18.

$40\div(6+2)+8=$

19.

$16+40\div8+36=$

20.

$31-72\div(4+5)=$

21.

$20+52-36\div4=$

22.

$8\times(17-6)-29=$

23.

$25\div5+7\times4-16=$

24.

$70-5\times(4+7)+8=$

25.

$70-(29+2)-9 \div 3=$

26.

$25 \times 4-16-4 \times 10=$

27.

$92-(40+5) \div 5 \times 7=$

28.

$10+15 \times 4+54 \div 9=$

29.

$54-(19-7)-8 \div 2=$

30.

$16 \times (2+4)-54 \div 6=$

31.

$14 \div (16-9) \times 25=$

32.

$9 \times 3-8 \div 2+5=$

33.

$62+(15+21) \div 4=$

34.

$19+52-17 \times 2=$

35.

$16-2 \times (23-5) \div 9=$

36.

$(25-9) \div 2+45 \div 5=$

37.

$$48 \div 8 + (28 - 7) \div 3 = \boxed{}$$

38.

$$70 - 12 - 72 \div 8 \times 2 = \boxed{}$$

39.

$$3 \times 5 + (12 - 8) \times 9 = \boxed{}$$

40.

$$(7 + 8) \times 3 - 14 \div 2 = \boxed{}$$

연산 실력 분석

오답 수에 맞게 학습을 진행하시기 바랍니다.

평가	오답 수	학습 방법
최고예요	0 ~ 2개	전반적으로 학습 내용에 대해 정확히 이해하고 있으며 매우 우수합니다. 기본 연산 문제를 자신 있게 풀 수 있는 실력을 갖추었으므로 이제는 사고력을 향상시킬 차례입니다. 2주차부터 차근차근 학습을 진행해 보세요. 학습 [2주차] → [3주차] → [4주차]
잘했어요	3 ~ 4개	기본 연산 문제를 전반적으로 잘 이해하고 풀었지만 약간의 실수가 있는 것 같습니다. 틀린 문제를 다시 한 번 풀어 보고, 문제를 차근차근 푸는 습관을 갖도록 노력해 보세요. 매스티안 홈페이지에서 제공하는 보충 학습으로 연산 실력을 향상시킨 후 2, 3, 4주차 학습을 진행해 주세요. 학습 [틀린 문제 복습] → [보충 학습] → [2주차] → …
노력해요	5개 이상	개념을 정확하게 이해하고 있지 않아 연산을 하는데 어려움이 있습니다. 개념을 이해하고 연산 문제를 반복해서 연습해 보세요. 매스티안 홈페이지에서 제공하는 보충 학습이 연산 실력을 향상시키는데 도움이 될 것입니다. 여러분도 곧 연산왕이 될 수 있습니다. 조금만 힘을 내 주세요. 학습 [1주차 원리 중심 복습] → [보충 학습] → [2주차] → …

매스티안 홈페이지 : www.mathtian.com

학습관리표

일 자			소요 시간	틀린 문항 수	확인
❶ 일차	월	일	:		
❷ 일차	월	일	:		
❸ 일차	월	일	:		
❹ 일차	월	일	:		
❺ 일차	월	일	:		

2주

1 화살표 셈

🌷 화살표 방향을 따라 계산하여 ▨ 안에 알맞은 수를 써넣으시오.

○ 보기 ○

$$14-10+4=8$$

| 14 | − | 10 | + | 4 |

8

0

$$4+10-14=0$$

$$27+13-25$$

| 27 | + | 13 | − | 25 |

$$25-13+27$$

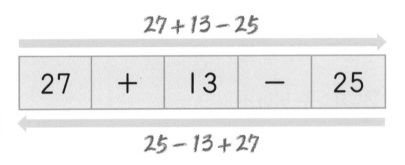

| 15 | − | 7 | + | 24 |

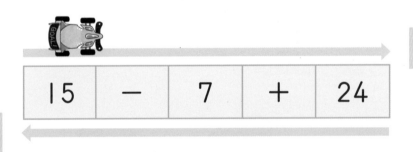

| 33 | + | 9 | − | 18 |

44 · C03 혼합 계산

51	−	26	+	47

25	−	11	+	34

2
C03

29	+	24	−	43

49	+	15	−	23

화살표 방향을 따라 계산하여 ▨ 안에 알맞은 수를 써넣으시오.

○ 보기 ○

$27+18-12-33=0$

| 27 | + | 18 | − | 12 | − | 33 |

0

30

$33-12-18+27=30$

$14+5+7-11$

| 14 | + | 5 | + | 7 | − | 11 |

$11-7+5+14$

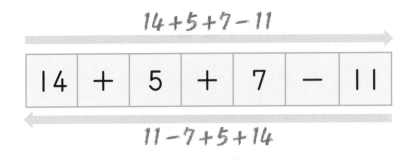

| 29 | − | 7 | − | 15 | + | 24 |

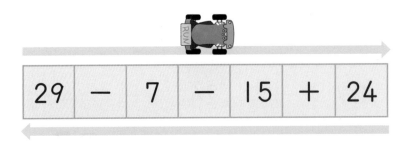

| 18 | + | 24 | − | 15 | + | 28 |

계산을 하여 관계있는 것끼리 연결하시오.

$18 - 9 + 6$

$11 + 12 - 3$

$43 - (9 + 11)$

$25 + 25 - 13$

$54 - (16 + 12)$

37

23

15

26

20

수 막대 셈

❁ ▨ 안에 알맞은 수를 써넣으시오.

보기

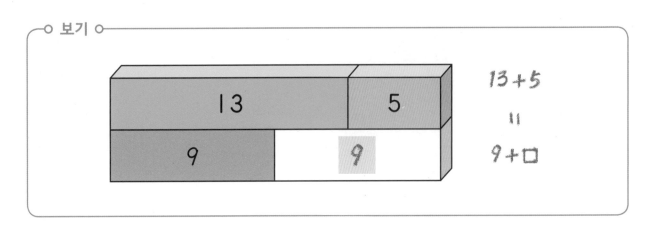

$$13 + 5$$
$$\|$$
$$9 + \square$$

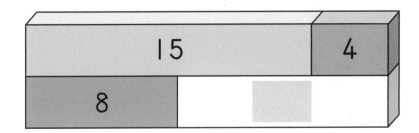

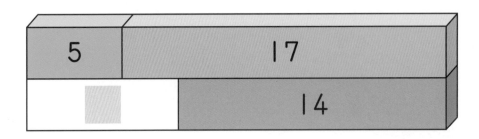

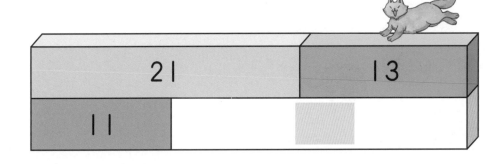

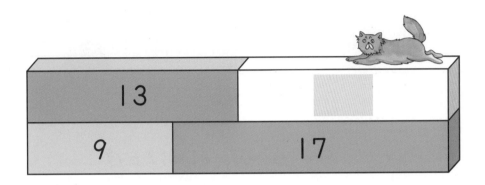

13
9   17

26   7
18

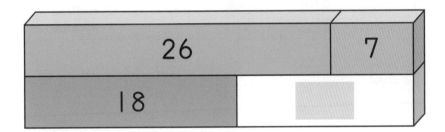

21   16
20

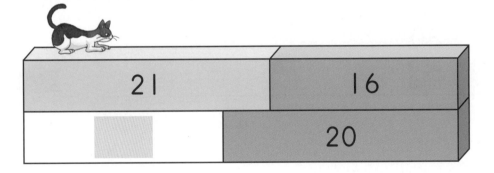

19
15   30

안에 알맞은 수를 써넣으시오.

보기

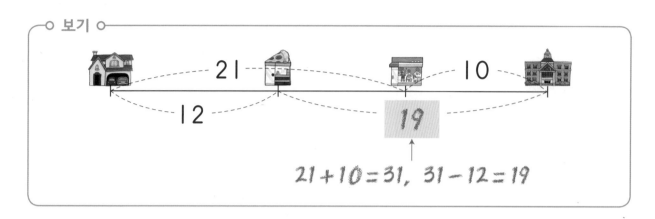

$21+10=31, \quad 31-12=19$

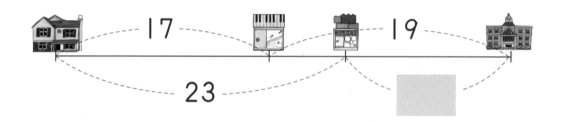

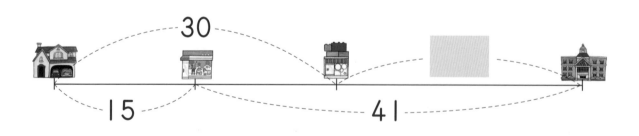

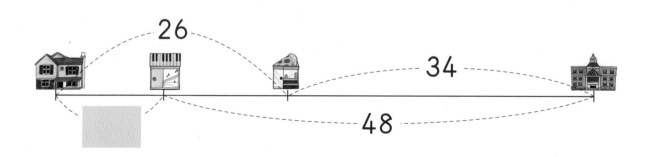

표에서 계산한 값의 색깔을 찾아 알맞게 색칠해 보시오.

준비물 ▶ 색연필

$13+14-9=18$

$42-(27+11)+27$

$50-7+15-2$

$32-18+29$

$79-(27+13)$

$15+19-21+32$

2

C03

18	31	39	43	45	56
◯	◯	◯	◯	◯	◯

오늘은 얼마나 잘했을까요?
칭찬 붙임 딱지를
붙여 주세요!

길 찾기

❀ 올바른 계산식이 되도록 선을 그어 보시오.

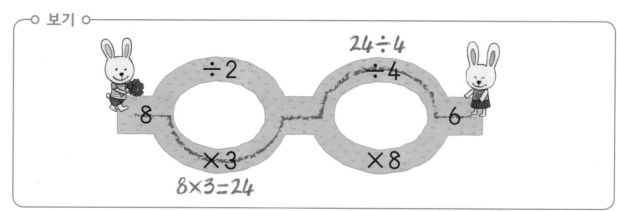

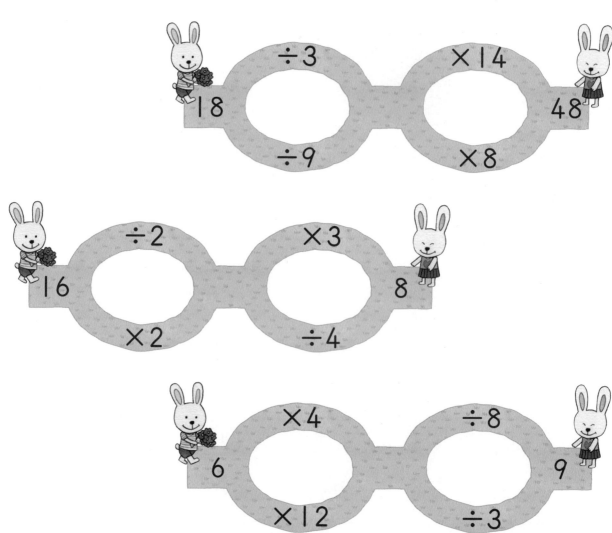

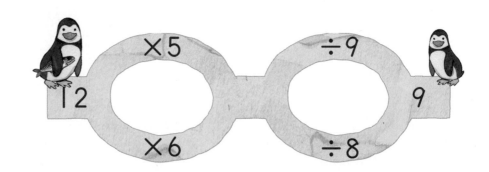

우주선이 지나간 두 수의 계산한 값이 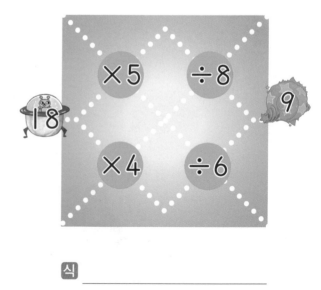 안의 수가 되도록 연결하고, 식으로 나타내시오.

○ 보기 ○

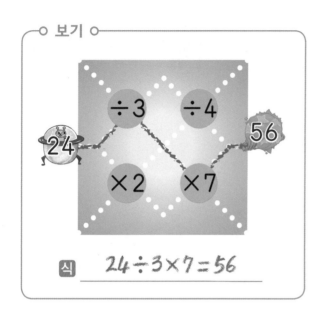

식 _24÷3×7=56_

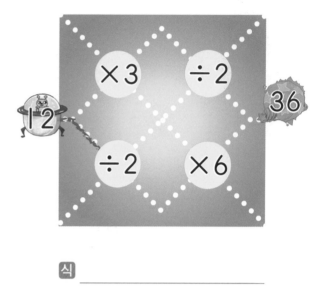

식 _____

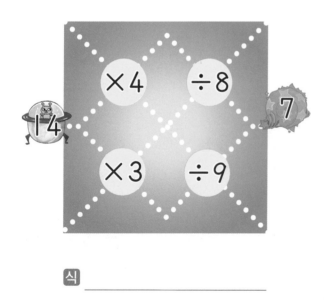

식 _____

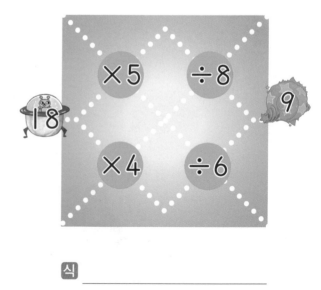

식 _____

🌸 표에서 계산한 결과 값과 같은 칸을 찾아 해당하는 글자를 써넣으시오.

티 $2 \times 9 \div 3 = 6$

$24 \div 4 \times 8 = \boxed{}$ 태

아 $42 \div 6 \times 7 = \boxed{}$

$6 \times 6 \div 9 = \boxed{}$ 끌

산 $72 \div 9 \times 5 = \boxed{}$

$6 \times 4 \div 3 = \boxed{}$ 모

6	4		8	49		48	40
티							

올바른 식 찾기

🌷 주어진 식 중 올바른 식을 찾아 ◯표 하시오.

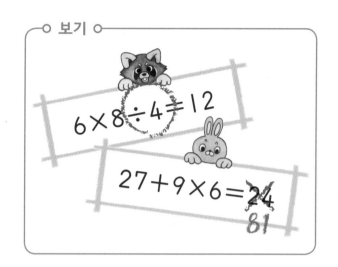

○ 보기 ○

$6 \times 8 \div 4 = 12$

$27 + 9 \times 6 = \cancel{24}$
        81

$5 \times 9 - 6 = 38$

$24 \div 4 + 23 = 29$

$48 \div 6 - 7 = 10$

$8 + 7 \times 4 = 36$

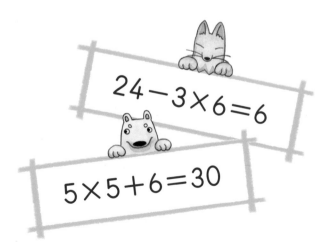

$24 - 3 \times 6 = 6$

$5 \times 5 + 6 = 30$

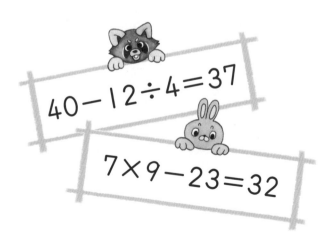

$40 - 12 \div 4 = 37$

$7 \times 9 - 23 = 32$

$8+5\times4=42$

$6\times8-11=37$

$32-12\div4=29$

$27-9\times2=36$

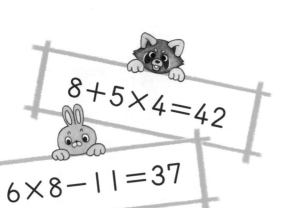

$32-8\div4=30$

$64\div8+16=26$

$42-6\times4=16$

$12+36\div6=18$

$48\div8+7=13$

$7+3\times5=50$

♀ 주어진 계산값이 나오는 식을 찾아 ◯표 하시오.

○ 보기 ○

15

$4×6÷8+12$

$3+72÷8×3$ 30

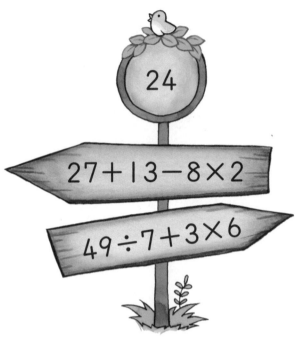

24

$27+13-8×2$

$49÷7+3×6$

58

$64-4×9÷6$

$12×5-8÷2$

36

$24÷3×5-16$

$43-5×7+28$

🔑 계산 결과가 같은 칸을 찾아 해당 글자를 써넣고 수수께끼를 해결해 보시오.

왕 $8 \times 3 \div 6 + 13 = \boxed{17}$

$54 \div (6+3) \times 7 = \boxed{}$ **어**

면 $24 \div 4 \times 8 - 9 = \boxed{}$

$8 \times 5 - 35 \div 5 = \boxed{}$ **이**

지 $(44+4) \div 6 \times 3 = \boxed{}$

$65 - 56 \div 8 \times 9 = \boxed{}$ **넘**

2
C03

으아앙~

하하하!

수수께끼

17	33		2	42	24	39
왕						

?

답 ➡

오늘은 얼마나 잘했을까요?
칭찬 붙임 딱지를
붙여 주세요!

토너먼트 셈

❤ ⬤ 안의 조건에 맞는 식을 선택하여 빈칸에 알맞은 국기를 붙이고, ▨ 안에 알맞은 계산 결과를 써넣으시오.

준비물 ▶ 붙임 딱지

◦ 보기 ◦

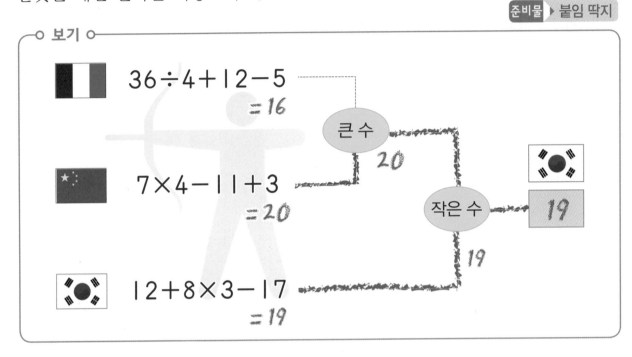

$36 \div 4 + 12 - 5 = 16$

$7 \times 4 - 11 + 3 = 20$

큰 수 20

작은 수 19

$12 + 8 \times 3 - 17 = 19$

19

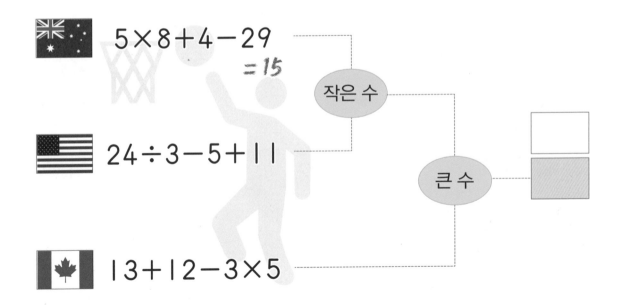

$5 \times 8 + 4 - 29 = 15$

작은 수

$24 \div 3 - 5 + 11$

큰 수

$13 + 12 - 3 \times 5$

$3 \times 7 - 35 \div 7 + 8$

 $36 \div 9 + 6 \times 5 - 14$

 $17 + 8 \div 2 - 25 \div 5$

 $7 + 42 \div 7 \times 2 - 5$

큰 수

큰 수

작은 수

2

C03

 $12 \times 5 - 81 \div 9 + 6$

 $9 \times 4 + 64 \div 8 - 22$

 $56 \div 7 \times 2 - 4 + 9$

 $34 - 4 \times 6 \div 3 + 19$

작은 수

작은 수

큰 수

😊 ⬤ 안의 조건에 맞는 식을 선택하여 빈칸에 알맞은 국기를 붙이고, ▨ 안에 알맞은 계산 결과를 써넣으시오.

준비물 ▶ 붙임 딱지

$(18+6) \times 2 - 36 \div 4$

큰 수

$\{(8+5) \times 3 + 17\} \div 7$

작은 수

$36 - (27-9) \div 9 \times 2$

작은 수

$30 - 3 \times 7 + 48 \div 6$

작은 수

$8 \times 9 + 56 \div (10-3)$

작은 수

$(72-24) \div 8 \times (7+7)$

큰 수

$84 - 54 \div \{(32-29) \times 3\}$

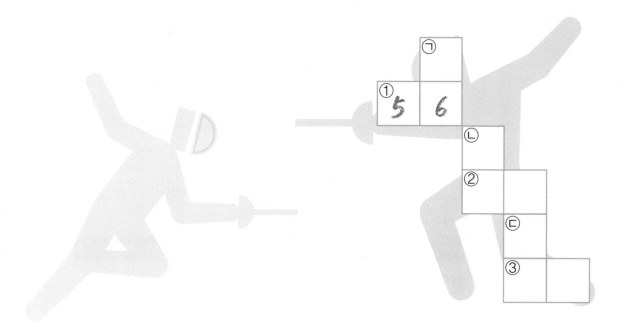

주어진 가로·세로 열쇠를 보고 퍼즐을 완성하시오.

2
C03

가로 열쇠

① 81÷9×6+2 = 56

② 40÷8×9

③ 41−19+14−18

세로 열쇠

㉠ 7×{(37−19)÷6}+15

㉡ (23−8)×5+27÷3

㉢ 30+56÷8−3×2

C03
분수의 계산

학습관리표

일 자			소요 시간	틀린 문항 수	확인
❶ 일차	월	일	:		
❷ 일차	월	일	:		
❸ 일차	월	일	:		
❹ 일차	월	일	:		
❺ 일차	월	일	:		

③주

❀ ▨ 안에 알맞은 수를 써넣으시오.

$5+4+3+2+1=15$ ⌐

−2

$5+4+3+2-1=$ ▨ ←

$5+4+3+2+1=15$ ⌐ ▨

$5+4+3-2+1=$ ▨ ←

$5+4+3+2+1=15$ ⌐ ▨

$5+4-3+2+1=$ ▨ ←

$5+4+3+2+1=15$ ⌐ ▨

$5+4-3-2+1=$ ▨ ←

올바른 식이 되도록 ⬤ 안에 ＋ 또는 ─ 기호를 알맞게 써넣으시오.

$5 + 6 + 7 + 8 + 9 = 35$

$5 \bigcirc 6 \bigcirc 7 \bigcirc 8 \bigcirc 9 = 21$

-14

$6 + 5 + 4 + 3 + 2 + 1 = 21$

방법 1 $6 \bigcirc 5 \bigcirc 4 \bigcirc 3 \bigcirc 2 \bigcirc 1 = 11$

방법 2 $6 \bigcirc 5 \bigcirc 4 \bigcirc 3 \bigcirc 2 \bigcirc 1 = 11$

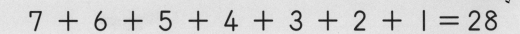

$7 + 6 + 5 + 4 + 3 + 2 + 1 = 28$

방법 1 $7 \bigcirc 6 \bigcirc 5 \bigcirc 4 \bigcirc 3 \bigcirc 2 \bigcirc 1 = 14$

방법 2 $7 \bigcirc 6 \bigcirc 5 \bigcirc 4 \bigcirc 3 \bigcirc 2 \bigcirc 1 = 14$

방법 3 $7 \bigcirc 6 \bigcirc 5 \bigcirc 4 \bigcirc 3 \bigcirc 2 \bigcirc 1 = 14$

♟ 올바른 식이 되도록 ◯ 안에 ＋, －, ×, ÷ 기호를 알맞게 써넣으시오.

7 × 5 ◯ 4 = 31

10 ◯ 24 ÷ 8 = 13

36 ◯ 4 ◯ 7 = 16

9 ◯ 6 ◯ 7 = 51

2 ◯ 42 ◯ 7 = 37

18 ◯ 2 ◯ 2 = 7

12 ◯ 6 ◯ 3 = 14

7 ● 6 ✖ 5 ● 2 = 35

2 ● 3 ● 2 ✖ 6 = 17

16 ÷ 4 ● 5 ● 2 = 7

3

C03

8 ● 9 ● 10 ● 11 = 87

40 ÷ 8 ● 7 ● 3 = 26

2 ● 3 ● 12 ● 6 = 4

오늘은 얼마나 집중했을까요?

칭찬 붙임 딱지를
붙여 주세요!

목표수 만들기

🌷 수 카드를 모두 사용하여 주어진 수를 만들어 보시오.

$$\boxed{4} \times \boxed{5} - \boxed{} = 17$$

$$\boxed{} \div \boxed{} + \boxed{} = 8$$

$$\boxed{} + \boxed{} \times \boxed{} = 41$$

$$\boxed{} - \boxed{} \div \boxed{} = 15$$

5	7
8	16

➡ $\boxed{} + \boxed{} \div \boxed{} \times \boxed{} = 17$

5	7
9	42

➡ $\boxed{} + \boxed{} \div \boxed{} - \boxed{} = 10$

4	5
6	25

➡ $\boxed{} \times \boxed{} + \boxed{} \div \boxed{} = 29$

4	5
12	15

➡ $\boxed{} \times \boxed{} - \boxed{} + \boxed{} = 23$

😊 같은 모양에 있는 알맞은 수를 써넣어 주어진 수를 만들어 보시오.

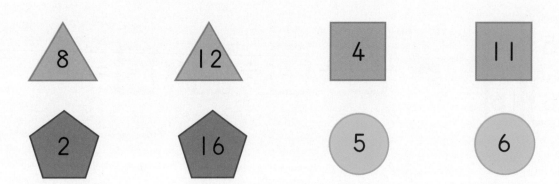

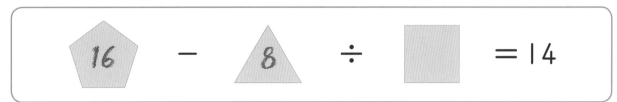

4   5   8   9

12   17   20   24

 + ÷ = 20

3

C03

 × − = 31

 − ÷ = 7

 + × = 65

❁ 약속에 맞게 식을 계산하여 ▨ 안에 알맞은 수를 써넣으시오.

> **약속**   가 ◆ 나 = 가 × 가 + 나

3 ◆ 5 = $\boxed{3}$ × $\boxed{3}$ + $\boxed{5}$ = $\boxed{}$

4 ◆ 6 = $\boxed{}$ × $\boxed{}$ + $\boxed{}$ = $\boxed{}$

5 ◆ 2 = $\boxed{}$ × $\boxed{}$ + $\boxed{}$ = $\boxed{}$

> **약속**   가 ▲ 나 = (가 + 나) × 2

2 ▲ 3 = ($\boxed{2}$ + $\boxed{3}$) × $\boxed{2}$ = $\boxed{}$

5 ▲ 2 = ($\boxed{}$ + $\boxed{}$) × $\boxed{}$ = $\boxed{}$

4 ▲ 8 = ($\boxed{}$ + $\boxed{}$) × $\boxed{}$ = $\boxed{}$

약속   가 ♠ 나 = 나 × 나 − 가

4 ♠ 5 = [ ]

3 ♠ 7 = [ ]

└→ 5×5−4

8 ♠ 6 = [ ]

5 ♠ 9 = [ ]

약속   가 ♣ 나 = (가 + 나) × (가 + 나)

3 ♣ 6 = [ ]

2 ♣ 4 = [ ]

└→ (3+6)×(3+6)

5 ♣ 2 = [ ]

4 ♣ 4 = [ ]

일차 3

약속을 찾아 계산하여 ▨ 안에 알맞은 수를 써넣으시오.

약속

$2 \square 1 = 3$
$2\times2-1$

$3 \square 2 = 7$
$3\times3-2$

$5 \square 3 = 22$

$4 \square 6 = 10$

$7 \square 5 = $ ▨

약속

$2 ♥ 1 = 6$
$(2+1)\times2$

$3 ♥ 6 = 18$
$(3+6)\times2$

$4 ♥ 4 = 16$

$5 ♥ 2 = 14$

$4 ♥ 7 = $ ▨

약속

$5 ♠ 1 = 6$
$1\times1+5$

$4 ♠ 2 = 8$

$3 ♠ 3 = 12$

$2 ♠ 4 = 18$

$1 ♠ 5 = $ ▨

약속

$1 ◆ 2 = 9$

$2 ◆ 3 = 25$

$3 ◆ 1 = 16$

$4 ◆ 2 = 36$

$2 ◆ 2 = $ ▨

약속

$2 ♣ 8 = 4$

$3 ♣ 24 = 8$

$5 ♣ 10 = 2$

$2 ♣ 18 = 9$

$7 ♣ 42 = $

약속

$2 ★ 3 = 7$

$3 ★ 5 = 16$

$4 ★ 3 = 13$

$1 ★ 5 = 6$

$6 ★ 2 = $

3

C03

약속

$3 ◈ 1 = 10$

$4 ◈ 2 = 18$

$3 ◈ 6 = 15$

$5 ◈ 4 = 29$

$3 ◈ 3 = $

약속

$4 ▲ 3 = 3$

$5 ▲ 3 = 6$

$7 ▲ 4 = 9$

$5 ▲ 1 = 12$

$9 ▲ 2 = $

오늘은 얼마나 잘했을까요?

칭찬 붙임 딱지를
붙여 주세요!

4

일차

괄호 넣기

🌷 식에 ( )를 한 번씩 넣어서 주어진 수를 만들어 보시오.

○ 보기 ○

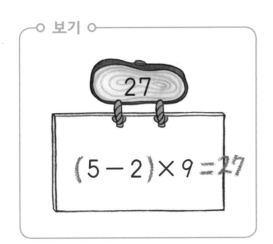

27

$(5-2) \times 9 = 27$

6

$3 + 15 \div 3$

70

$7 \times 8 + 2$

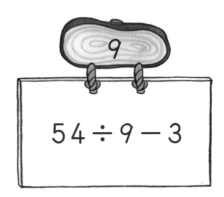

9

$54 \div 9 - 3$

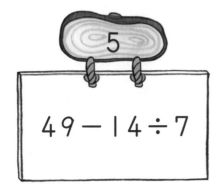

5

$49 - 14 \div 7$

72

$7 + 2 \times 8$

78 · C03 혼합 계산

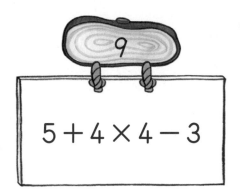

9

5＋4×4－3

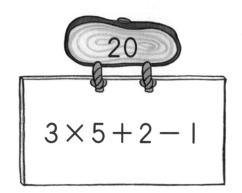

20

3×5＋2－1

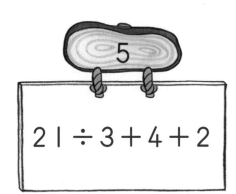

5

21÷3＋4＋2

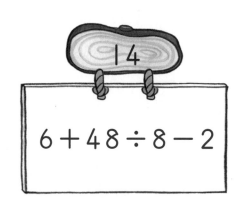

14

6＋48÷8－2

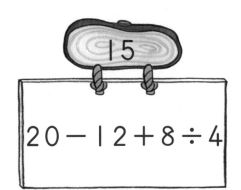

15

20－12＋8÷4

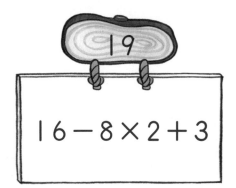

19

16－8×2＋3

3
C03

🎳 식에 ( )를 한 번씩 넣어서 주어진 수를 만들어 보시오.

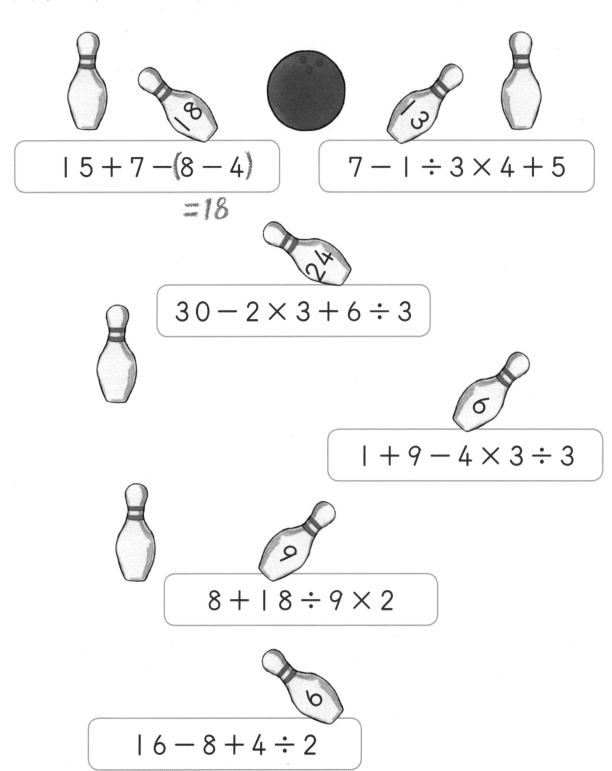

$15 + 7 - (8 - 4)$
$= 18$

$7 - 1 \div 3 \times 4 + 5$

$30 - 2 \times 3 + 6 \div 3$

$1 + 9 - 4 \times 3 \div 3$

$8 + 18 \div 9 \times 2$

$16 - 8 + 4 \div 2$

$$3 + 2 \times 6 \div 3 + 9$$

$$7 \times 7 + 9 \div 9 - 6$$

3

C03

$$32 - 12 \div 4 + 2 \times 8$$

$$4 \times 5 - 14 + 21 \div 7$$

$$12 + 18 \div 3 \times 4 - 2$$

$$21 + 27 \div 9 \div 3 - 1$$

오늘은 얼마나 잘했을까요?
칭찬 붙임 딱지를
붙여 주세요!

규칙 연산

🌷 규칙을 찾아 ▨ 안에 알맞게 써넣으시오.

─○ 보기 ○─

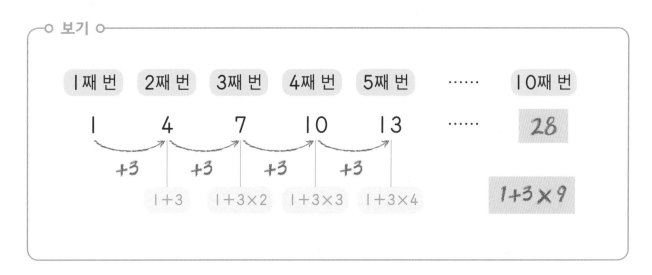

| 1째 번 | 2째 번 | 3째 번 | 4째 번 | 5째 번 | …… | 10째 번 |

1   4   7   10   13   ……   28

+3   +3   +3   +3

1+3   1+3×2   1+3×3   1+3×4   1+3×9

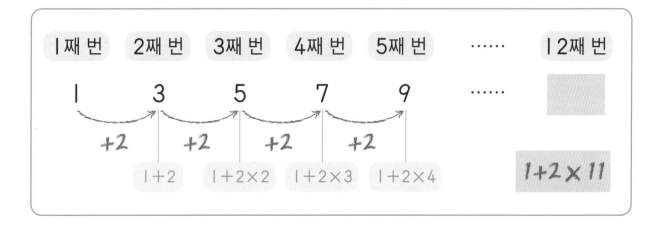

| 1째 번 | 2째 번 | 3째 번 | 4째 번 | 5째 번 | …… | 12째 번 |

1   3   5   7   9   ……

+2   +2   +2   +2

1+2   1+2×2   1+2×3   1+2×4   1+2×11

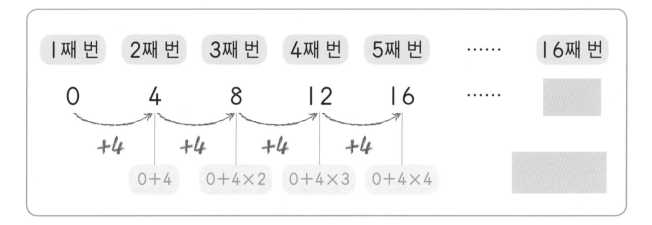

| 1째 번 | 2째 번 | 3째 번 | 4째 번 | 5째 번 | …… | 16째 번 |

0   4   8   12   16   ……

+4   +4   +4   +4

0+4   0+4×2   0+4×3   0+4×4

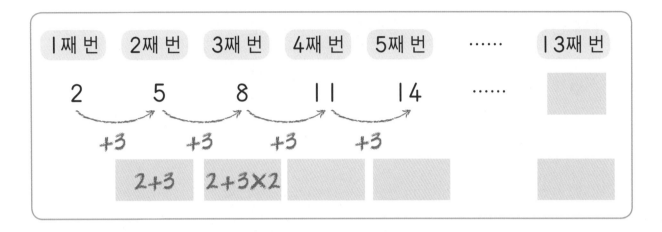

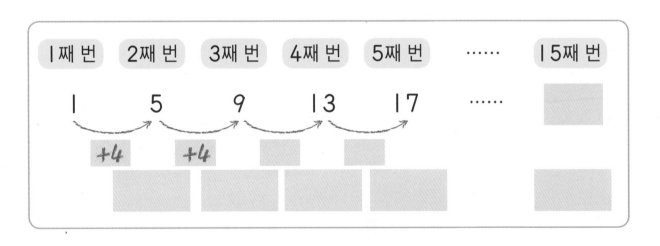

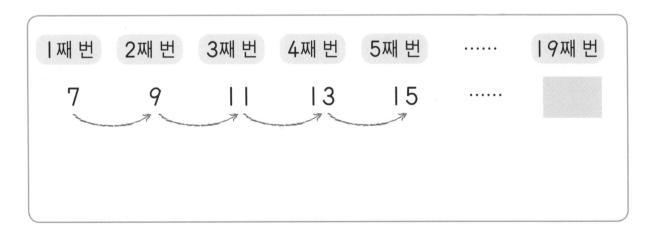

🔆 규칙을 찾아 ▓▓ 안에 알맞은 수를 써넣으시오.

1째 번	2째 번	3째 번	4째 번	⋯⋯	★째 번
●	●●●	●●●●●	●●●●●●●	⋯⋯	
1개	3개	5개	7개	⋯⋯	?
1	(1+2)	(1+2+2)	(1+2+2+2)	⋯⋯	(1+2+2+2+⋯⋯)
	+2	$1+2×2$	$1+2×3$		$1+2×(★-1)$

· 6째 번 구슬의 개수 : ▓▓▓▓   · 15째 번 구슬의 개수 : ▓▓▓▓

1째 번	2째 번	3째 번	4째 번	⋯⋯	★째 번
●	●●●	●●●●●	●●●●●●●	⋯⋯	
1개	4개	7개	10개	⋯⋯	?
1	(1+3)	(1+3+3)	(1+3+3+3)	⋯⋯	(1+3+3+3+⋯⋯)
	+3	$1+3×2$	$1+3×3$		$1+3×(★-1)$

· 7째 번 구슬의 개수 : ▓▓▓▓   · 16째 번 구슬의 개수 : ▓▓▓▓

- 5째 번 구슬의 개수 :
- 19째 번 구슬의 개수 :

- 8째 번 구슬의 개수 :
- 17째 번 구슬의 개수 :

3
C03

- 10째 번 구슬의 개수 :
- 21째 번 구슬의 개수 :

학습관리표

일 자			소요 시간	틀린 문항 수	확인
❶ 일차	월	일	:		
❷ 일차	월	일	:		
❸ 일차	월	일	:		
❹ 일차	월	일	:		
❺ 일차	월	일	:		

4주

식 완성하기

🌷 식의 일부분을 알맞은 곳에 넣어 식을 완성하시오.

온라인 활동지

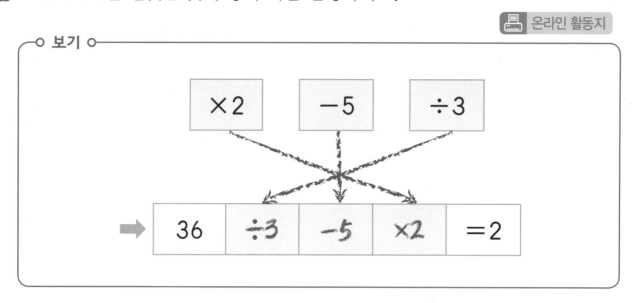

○ 보기 ○

| ×2 | −5 | ÷3 |

➡ | 36 | ÷3 | −5 | ×2 | =2 |

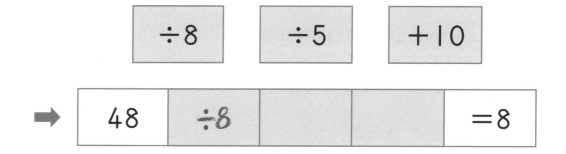

| ÷8 | ÷5 | +10 |

➡ | 48 | ÷8 | | | =8 |

| ×4 | ÷4 | −4 |

➡ | 36 | | | −4 | =32 |

| ×5 | ×9 | −4 |

➡ | 7 | | | | =43 |

| ÷6 | ÷9 | +12 |

➡ | 54 | | | | =8 |

| ×4 | ÷2 | +8 |

➡ | 18 | | | | =44 |

🌸 색종이를 2번 잘라 만든 수를 알맞은 곳에 넣어 식을 완성하시오.

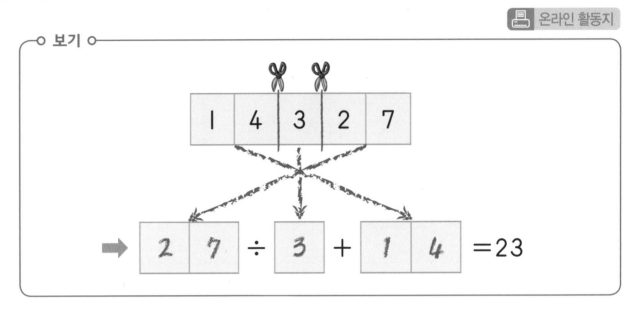

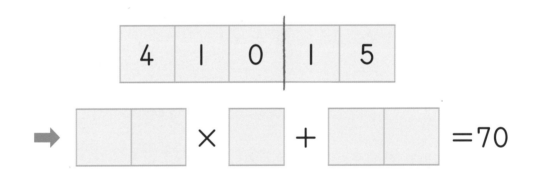

5	1	3	2	5

→ ☐☐ ÷ ☐ × ☐☐ = 65

2	4	3	6	4

→ ☐☐ ÷ ☐ + ☐☐ = 33

4
C03

1	6	1	2	4

→ ☐☐ + ☐☐ × ☐ = 76

오늘은 얼마나 잘했을까요?
칭찬 붙임 딱지를
붙여 주세요!

2 가장 큰 값, 가장 작은 값

일차

🌷 숫자 카드를 이용하여 계산 결과가 **가장 크게, 가장 작게** 되도록 만들어 보시오.

🖨 온라인 활동지

[3 6 8]

가장 큰 값

$6 + 8 - 3 =$ ▢

가장 작은 값

▢ $+$ ▢ $-$ ▢ $=$ ▢

[2 7 8]

가장 큰 값

▢ $\times$ ▢ $+$ ▢ $=$ ▢

가장 작은 값

▢ $\times$ ▢ $+$ ▢ $=$ ▢

[4 5 6]
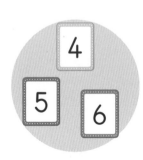

가장 큰 값

▢ $\times$ ▢ $-$ ▢ $=$ ▢

가장 작은 값

▢ $\times$ ▢ $-$ ▢ $=$ ▢

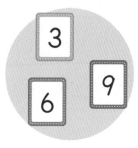

2
3
6

가장 큰 값

☐ × ☐ ÷ ☐ = ☐

가장 작은 값

☐ × ☐ ÷ ☐ = ☐

3
6
9

가장 큰 값

☐ ÷ ☐ + ☐ = ☐

가장 작은 값

☐ ÷ ☐ + ☐ = ☐

1
4
8

가장 큰 값

☐ ÷ ☐ − ☐ = ☐

가장 작은 값

☐ ÷ ☐ − ☐ = ☐

4
C03

👤 숫자 카드를 이용하여 계산 결과가 **가장 크게** 또는 **가장 작게** 되도록 만들어 보시오.

🖶 온라인 활동지

4 5
6 8

$8 \times 6 + \square - \square = $ 가장 큰 값

3 6
8 9

$9 \times \square - \square \div \square = $ 가장 큰 값

1 2 3
6 9

$\square \times \square + 3 \div \square - \square = $ 가장 큰 값

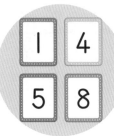

가장 작은 값

□ × □ + □ − □ =

2 6
8 9

가장 작은 값

□ × □ ÷ □ + □ =

4

C03

1 2 3
6 8

가장 작은 값

□ ÷ □ × □ − □ + □ =

도형이 나타내는 수

🌷 도형이 나타내는 수를 구하시오.

○ 보기 ○

$$54 \div 6 - \blacklozenge = 3$$

➡ $9 - \blacklozenge = 3$

➡ $\blacklozenge = 6$

$$4 \times 6 + ★ = 25$$

➡

➡ $★ =$

$$32 \div 4 - \blacklozenge = 5$$

➡

➡ $\blacklozenge =$

$$♠ + 54 \div 6 = 23$$

➡ $♠ + 9 = 23$

➡ $♠ =$

$$▲ + 7 \times 6 = 48$$

➡

➡ $▲ =$

$$3+8\times8-\blacksquare=50$$

(circled numbers: ①②③ indicating order of operations)

→ $67-\blacksquare=50$

→ $\blacksquare=$

$$21\div7+6+\blacktriangle=24$$

→

→ $\blacktriangle=$

$$13\times3-12+\bigstar=55$$

→

→ $\bigstar=$

$$43-28\div4+\clubsuit=42$$

→

→ $\clubsuit=$

$$6+7\times9+\blacklozenge=74$$

→

→ $\blacklozenge=$

도형이 나타내는 수를 구하시오.

○ 보기 ○

$2+\blacklozenge\times3=14$

➡ $2+\boxed{\blacklozenge\times3}=14$

➡ $\boxed{\blacklozenge\times3}=12$

➡ $\blacklozenge=4$

$7+18\div\bullet=13$

$7+\boxed{①}=13$

$\boxed{18\div\bullet}=6$

$\bullet=$

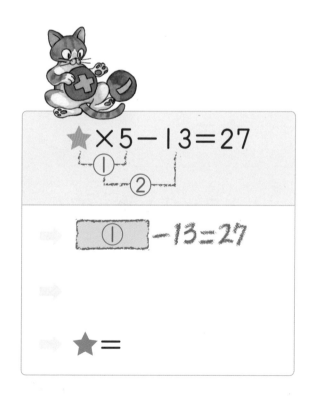

$\bigstar\times5-13=27$

➡ $\boxed{①}-13=27$

➡

➡ $\bigstar=$

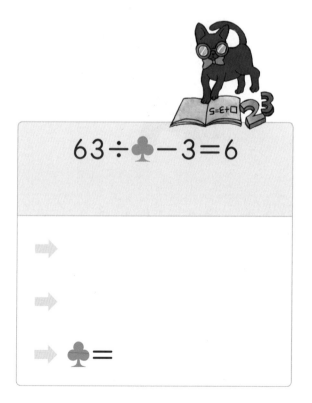

$63\div\clubsuit-3=6$

➡

➡

➡ $\clubsuit=$

$$\blacklozenge \div 7 + 21 = 29$$

➡

➡

➡ $\blacklozenge =$

$$6 \times \clubsuit + 18 = 54$$

➡

➡

➡ $\clubsuit =$

$$3 \times (8 + \bullet) = 63$$

➡

➡

➡ $\bullet =$

$$63 \div (\bigstar + 6) = 7$$

➡

➡

➡ $\bigstar =$

4

일차

여러 가지 계산 순서

🌷 ( )의 위치가 다를 때, 식을 계산해 보시오.

$6+12÷3-1$

$6 + 12 ÷ 3 - 1 =$ ⬚ $(6 + 12) ÷ 3 - 1 =$ ⬚

$6 + (12 ÷ 3) - 1 =$ ⬚ $6 + 12 ÷ (3 - 1) =$ ⬚

$(6 + 12) ÷ (3 - 1) =$ ⬚ $6 + (12 ÷ 3 - 1) =$ ⬚

$30-2+3×4$

$30 - 2 + 3 × 4 =$ ⬚ $30 - (2 + 3) × 4 =$ ⬚

$(30 - 2) + 3 × 4 =$ ⬚ $30 - (2 + 3 × 4) =$ ⬚

$(30 - 2 + 3) × 4 =$ ⬚

식에 (   )를 한 번씩 넣어서 여러 가지 계산 결과가 나오도록 만들어 보시오.

식	계산 결과
$2 \times (9 - 6) \div 3 + 3$	
$2 \times 9 - 6 \div 3 + 3$	
$2 \times 9 - 6 \div 3 + 3$	
$2 \times 9 - 6 \div 3 + 3$	
$2 \times 9 - 6 \div 3 + 3$	
$2 \times 9 - 6 \div 3 + 3$	

♀ 주어진 식에 ( )를 한 번씩 넣어서 계산 결과가 **가장 큰 값**과 **가장 작은 값**이 되도록 만들어 보시오.

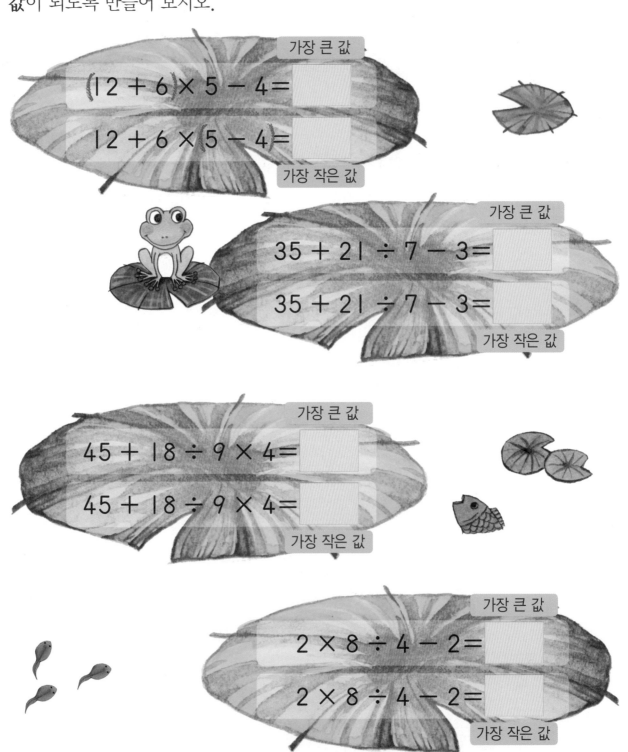

가장 큰 값

(12 + 6) × 5 − 4 = ☐

12 + 6 × 5 − 4 = ☐

가장 작은 값

가장 큰 값

35 + 21 ÷ 7 − 3 = ☐

35 + 21 ÷ 7 − 3 = ☐

가장 작은 값

가장 큰 값

45 + 18 ÷ 9 × 4 = ☐

45 + 18 ÷ 9 × 4 = ☐

가장 작은 값

가장 큰 값

2 × 8 ÷ 4 − 2 = ☐

2 × 8 ÷ 4 − 2 = ☐

가장 작은 값

가장 큰 값

$36 - 4 + 32 \div 4 \times 2 =$

$36 - 4 + 32 \div 4 \times 2 =$

가장 작은 값

가장 큰 값

$9 + 27 \div 9 + 3 \times 6 =$

$9 + 27 \div 9 + 3 \times 6 =$

가장 작은 값

가장 큰 값

$8 - 2 \times 4 + 48 \div 8 =$

$8 - 2 \times 4 + 48 \div 8 =$

가장 작은 값

4

C03

가장 큰 값

$27 - 21 \div 3 \times 2 + 1 =$

$27 - 21 \div 3 \times 2 + 1 =$

가장 작은 값

오늘은 얼마나 잘했을까요?

칭찬 붙임 딱지를
붙여 주세요!

🌷 여러 개의 5와 ＋, －, ×, ÷, ( )를 이용하여 주어진 계산 결과가 되는 식을 2개씩 만들어 보시오.

계산 결과 : 1

$$5 \div 5 = 1$$

계산 결과 : 2

$$(5+5) \div 5 = 2$$

계산 결과 : 3

$$5 - 5 \div 5 - 5 \div 5 = 3$$

계산 결과 : 4

계산 결과 : 5

계산 결과 : 6

⚲ $+$, $-$, $\times$, $\div$, ( )를 이용하여 1부터 10까지의 수를 만들어 보시오.
(단, 숫자를 두 개 이어 붙여 두 자리 수를 만들어도 됩니다.)

$(2+2+2) \div 2 - 2 = 1$ $2 \quad 2 \quad 2 \quad 2 \quad 2 = 2$

$2 \quad 2 \quad 2 \quad 2 \quad 2 = 3$ $2 \quad 2 \quad 2 \quad 2 \quad 2 = 4$

$2 \quad 2 \quad 2 \quad 2 \quad 2 = 5$ $2 \quad 2 \quad 2 \quad 2 \quad 2 = 6$

$2 \quad 2 \quad 2 \quad 2 \quad 2 = 7$ $2 \quad 2 \quad 2 \quad 2 \quad 2 = 8$

$2 \quad 2 \quad 2 \quad 2 \quad 2 = 9$ $2 \quad 2 \quad 2 \quad 2 \quad 2 = 10$

4

C03

+, −, ×, ÷, (   )를 이용하여 1부터 10까지의 수를 만들어 보시오.
(단, 숫자를 두 개 이어 붙여 두 자리 수를 만들어도 됩니다.)

$3 \times 3 \div (3 \times 3) = 1$

$3 \quad 3 \quad 3 \quad 3 = 2$

$3 \quad 3 \quad 3 \quad 3 = 3$

$3 \quad 3 \quad 3 \quad 3 = 4$

$3 \quad 3 \quad 3 \quad 3 = 5$

$3 \quad 3 \quad 3 \quad 3 = 6$

$3 \quad 3 \quad 3 \quad 3 = 7$

$3 \quad 3 \quad 3 \quad 3 = 8$

$3 \quad 3 \quad 3 \quad 3 = 9$

$3 \quad 3 \quad 3 \quad 3 = 10$

🟊 네 개의 4와 ＋, －, ×, ÷, ( )를 이용하여 1부터 12까지의 수 중에서 없는 수를 만들어 시계를 완성하시오. (단, 숫자를 두 개 이어 붙여 두 자리 수를 만들어도 됩니다.)

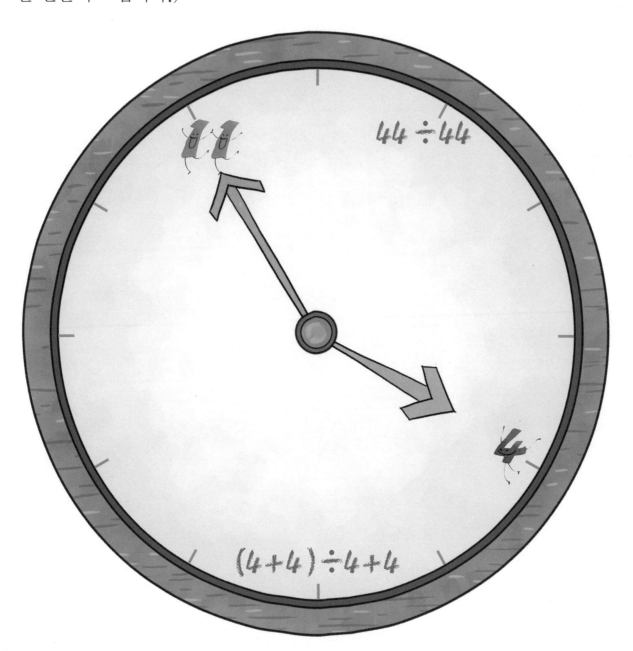

44÷44

(4+4)÷4+4

4

C03

memo

C03
정답

학습가이드

+, − 가 섞여 있는 식의 계산 순서를 학습하는 과정입니다.

9+6+2와 같이 더하기로만 연결된 식의 경우에는 앞에서부터 올바르게 계산한 결과도 17이고, 계산 순서를 바꾸어 뒤에 있는 6+2를 먼저 계산하고 앞에 있는 9를 더한 계산 결과도 17로 같습니다. 그러나 빼기가 포함된 9−6+2의 경우에는 앞에서부터 계산하면 계산 결과가 5인 반면, 뒤에 있는 6+2부터 계산하면 계산 결과는 1이 되어 틀리게 됩니다. 따라서 학생들에게는 +, −가 섞여 있을 경우 반드시 앞에서부터 계산하도록 지도해 주세요.

$$21 + 42 - 23 = \boxed{40}$$

① 63

② 40

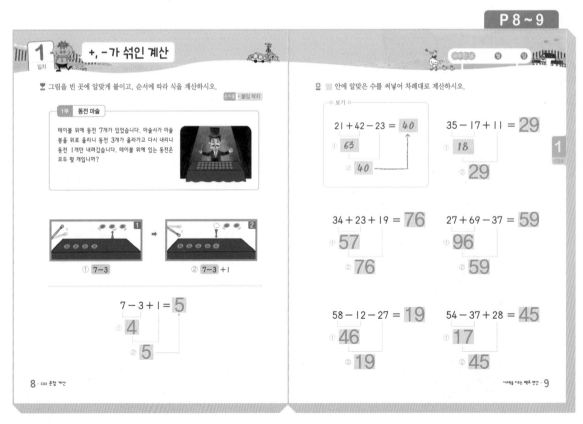

1일차 +, − 가 섞인 계산

그림을 빈 곳에 알맞게 붙이고, 순서에 따라 식을 계산하시오.

준비물 : 붙임 딱지

1부 동전 마술

테이블 위에 동전 7개가 있었습니다. 마술사가 마술 봉을 위로 올리니 동전 3개가 올라가고 다시 내리니 동전 1개만 내려갔습니다. 테이블 위에 있는 동전은 모두 몇 개입니까?

① 7−3   ② 7−3 +1

$$7 - 3 + 1 = 5$$
① 4
② 5

안에 알맞은 수를 써넣어 차례대로 계산하시오.

보기

$$21 + 42 - 23 = 40$$
① 63
② 40

$$35 - 17 + 11 = 29$$
① 18
② 29

$$34 + 23 + 19 = 76$$
① 57
② 76

$$27 + 69 - 37 = 59$$
① 96
② 59

$$58 - 12 - 27 = 19$$
① 46
② 19

$$54 - 37 + 28 = 45$$
① 17
② 45

1

❤ 계산 순서를 나타내고 계산을 하시오.

$15 + 24 + 12 = 51$
① 39
② 51

$38 + 17 - 23 = 32$
① 55
② 32

$23 - 19 + 34 = 38$
① 4
② 38

$41 - 13 - 18 = 10$
① 28
② 10

$24 + 29 + 18 = 71$
① 53
② 71

$13 + 53 - 39 = 27$
① 66
② 27

$56 - 34 + 25 = 47$
① 22
② 47

$62 - 22 - 16 = 24$
① 40
② 24

$12 + 17 + 45 = 74$
① 29
② 74

$52 + 36 - 16 = 72$
① 88
② 72

$67 - 29 + 32 = 70$
① 38
② 70

$84 - 37 - 17 = 30$
① 47
② 30

$15 + 45 + 24 = 84$
① 60
② 84

$75 + 17 - 47 = 45$
① 92
② 45

$50 - 16 + 47 = 81$
① 34
② 81

$93 - 45 - 25 = 23$
① 48
② 23

1

❤ 계산을 하시오.

$21 + 26 - 13 = 34$

$13 + 17 + 22 = 52$

$34 - 12 + 25 = 47$

$23 + 17 + 13 = 53$

$54 - 32 + 35 = 57$

$90 - 29 - 38 = 23$

$25 + 23 - 29 = 19$

$35 - 12 + 41 = 64$

$32 + 67 - 53 = 46$

$58 - 34 + 19 = 43$

$54 - 26 - 18 = 10$

$30 + 13 - 16 = 27$

$42 + 25 + 24 = 91$

$75 - 15 - 43 = 17$

$40 + 15 + 14 = 69$

$55 - 29 + 12 = 38$

$56 - 36 + 26 = 46$

$62 - 37 + 45 = 70$

$94 - 47 - 33 = 14$

$72 + 18 - 39 = 51$

×, ÷가 섞여 있는 식의 계산 순서를 학습하는 과정입니다.

1일차와 마찬가지로 18×3×2와 같이 곱하기로만 연결된 식의 경우에도 앞에서부터 계산한 결과와 계산 순서를 바꾸어 뒤에서부터 계산한 결과가 같습니다. 그러나 나누기가 포함된 18÷3×2의 경우에는 앞에서부터 올바르게 계산하면 계산 결과가 12인 반면, 뒤에 있는 3×2부터 계산하면 계산 결과는 3이 되어 틀리게 됩니다. 따라서 학생들에게는 ×, ÷가 섞여 있을 경우 반드시 앞에서부터 계산하도록 지도해 주세요.

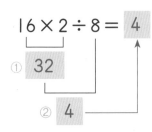

P 14 ~ 15

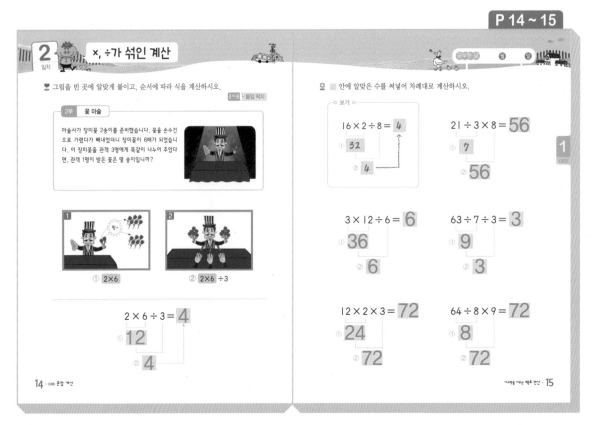

P 16 ~ 17

2 일차

○ 계산 순서를 나타내고 계산을 하시오.

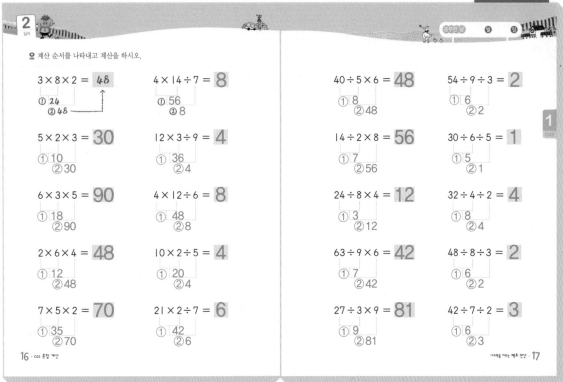

$3 \times 8 \times 2 = 48$
① 24
② 48

$4 \times 14 \div 7 = 8$
① 56
② 8

$40 \div 5 \times 6 = 48$
① 8
② 48

$54 \div 9 \div 3 = 2$
① 6
② 2

$5 \times 2 \times 3 = 30$
① 10
② 30

$12 \times 3 \div 9 = 4$
① 36
② 4

$14 \div 2 \times 8 = 56$
① 7
② 56

$30 \div 6 \div 5 = 1$
① 5
② 1

$6 \times 3 \times 5 = 90$
① 18
② 90

$4 \times 12 \div 6 = 8$
① 48
② 8

$24 \div 8 \times 4 = 12$
① 3
② 12

$32 \div 4 \div 2 = 4$
① 8
② 4

$2 \times 6 \times 4 = 48$
① 12
② 48

$10 \times 2 \div 5 = 4$
① 20
② 4

$63 \div 9 \times 6 = 42$
① 7
② 42

$48 \div 8 \div 3 = 2$
① 6
② 2

$7 \times 5 \times 2 = 70$
① 35
② 70

$21 \times 2 \div 7 = 6$
① 42
② 6

$27 \div 3 \times 9 = 81$
① 9
② 81

$42 \div 7 \div 2 = 3$
① 6
② 3

16 · C03 혼합 계산

사고력을 키우는 팩토 연산 · 17

P 18 ~ 19

2 일차

○ 계산을 하시오.

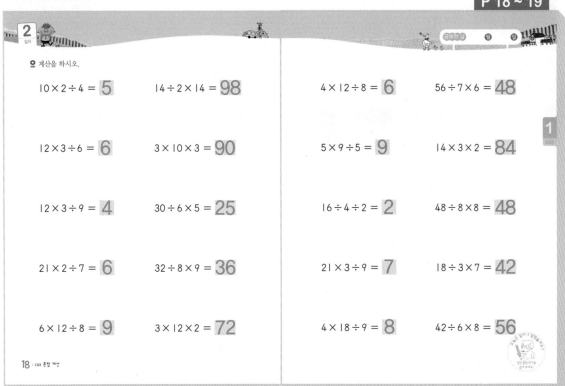

$10 \times 2 \div 4 = 5$

$14 \div 2 \times 14 = 98$

$4 \times 12 \div 8 = 6$

$56 \div 7 \times 6 = 48$

$12 \times 3 \div 6 = 6$

$3 \times 10 \times 3 = 90$

$5 \times 9 \div 5 = 9$

$14 \times 3 \times 2 = 84$

$12 \times 3 \div 9 = 4$

$30 \div 6 \times 5 = 25$

$16 \div 4 \div 2 = 2$

$48 \div 8 \times 8 = 48$

$21 \times 2 \div 7 = 6$

$32 \div 8 \times 9 = 36$

$21 \times 3 \div 9 = 7$

$18 \div 3 \times 7 = 42$

$6 \times 12 \div 8 = 9$

$3 \times 12 \times 2 = 72$

$4 \times 18 \div 9 = 8$

$42 \div 6 \times 8 = 56$

18 · C03 혼합 계산

학습가이드

+, −, × 또는 +, −, ÷가 섞여 있는 식의 계산 순서를 학습하는 과정입니다.

+, −, × 가 섞여 있는 경우에는 x를 먼저 계산하고, +, −는 앞에서부터 차례대로 계산합니다. 마찬가지로 +, −, ÷가 섞여 있는 경우에도 ÷를 먼저 계산하고, +, −는 앞에서부터 차례대로 계산합니다.

학생들이 × 또는 ÷를 먼저 계산한다고 순서를 무턱대고 외우기 보다는 +, −, × 또는 +, −, ÷가 섞여 있는 식이 나오는 상황을 생각해 보며 계산 순서를 이해할 수 있도록 지도해 주세요.

$$27 + 5 \times 10 - 19 = \boxed{58}$$
① 50
② 77
③ 58

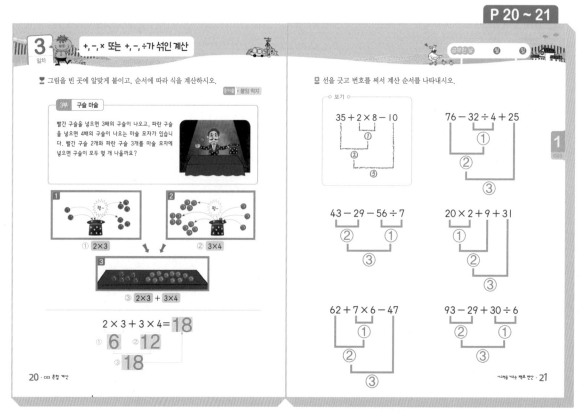

3 일차 +, −, × 또는 +, −, ÷가 섞인 계산

공부한 날   월   일

그림을 빈 곳에 알맞게 붙이고, 순서에 따라 식을 계산하시오.

붙임 딱지

3부   구슬 마술

빨간 구슬을 넣으면 3배의 구슬이 나오고, 파란 구슬을 넣으면 4배의 구슬이 나오는 마술 모자가 있습니다. 빨간 구슬 2개와 파란 구슬 3개를 마술 모자에 넣으면 구슬이 모두 몇 개 나올까요?

① 2×3
② 3×4
③ 2×3 + 3×4

$$2 \times 3 + 3 \times 4 = \boxed{18}$$
① 6   ② 12
③ 18

선을 긋고 번호를 써서 계산 순서를 나타내시오.

보기

$$35 + 2 \times 8 - 10$$
①
②
③

$$76 - 32 \div 4 + 25$$
①
②
③

$$43 - 29 - 56 \div 7$$
②   ①
③

$$20 \times 2 + 9 + 31$$
①
②
③

$$62 + 7 \times 6 - 47$$
①
②
③

$$93 - 29 + 30 \div 6$$
②   ①
③

P 22 ~ 23

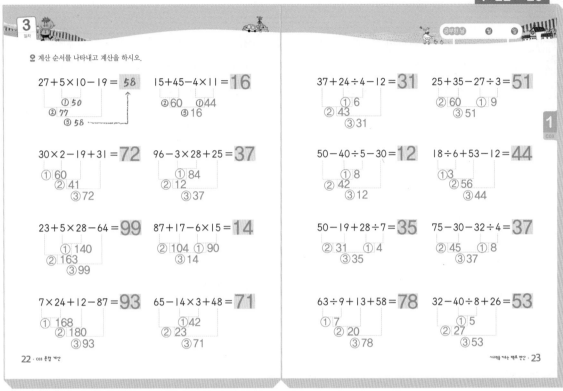

3 일차

❖ 계산 순서를 나타내고 계산을 하시오.

$27+5\times10-19 = $ **58**
　① 50
　② 77
　③ 58

$15+45-4\times11 = $ **16**
　② 60　① 44
　③ 16

$37+24\div4-12 = $ **31**
　① 6
　② 43
　③ 31

$25+35-27\div3 = $ **51**
　② 60　① 9
　③ 51

$30\times2-19+31 = $ **72**
　① 60
　② 41
　③ 72

$96-3\times28+25 = $ **37**
　① 84
　② 12
　③ 37

$50-40\div5-30 = $ **12**
　① 8
　② 42
　③ 12

$18\div6+53-12 = $ **44**
　① 3
　② 56
　③ 44

$23+5\times28-64 = $ **99**
　① 140
　② 163
　③ 99

$87+17-6\times15 = $ **14**
　② 104　① 90
　③ 14

$50-19+28\div7 = $ **35**
　② 31　① 4
　③ 35

$75-30-32\div4 = $ **37**
　② 45　① 8
　③ 37

$7\times24+12-87 = $ **93**
　① 168
　② 180
　③ 93

$65-14\times3+48 = $ **71**
　① 42
　② 23
　③ 71

$63\div9+13+58 = $ **78**
　① 7
　② 20
　③ 78

$32-40\div8+26 = $ **53**
　① 5
　② 27
　③ 53

22 · C03 혼합 계산

사고력을 키우는 팩토 연산 · 23

P 24 ~ 25

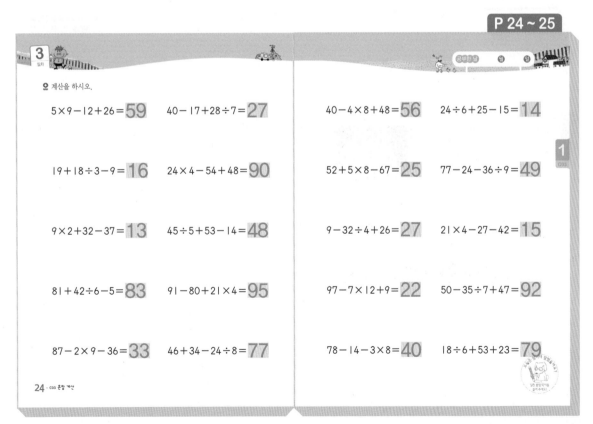

3 일차

❖ 계산을 하시오.

$5\times9-12+26 = $ **59**

$40-17+28\div7 = $ **27**

$40-4\times8+48 = $ **56**

$24\div6+25-15 = $ **14**

$19+18\div3-9 = $ **16**

$24\times4-54+48 = $ **90**

$52+5\times8-67 = $ **25**

$77-24-36\div9 = $ **49**

$9\times2+32-37 = $ **13**

$45\div5+53-14 = $ **48**

$9-32\div4+26 = $ **27**

$21\times4-27-42 = $ **15**

$81+42\div6-5 = $ **83**

$91-80+21\times4 = $ **95**

$97-7\times12+9 = $ **22**

$50-35\div7+47 = $ **92**

$87-2\times9-36 = $ **33**

$46+34-24\div8 = $ **77**

$78-14-3\times8 = $ **40**

$18\div6+53+23 = $ **79**

24 · C03 혼합 계산

학습가이드

+, −, ×, ÷가 섞여 있는 식의 계산 순서를 학습하는 과정입니다.

4개의 연산 기호가 모두 섞여 있는 경우에는 먼저 ×, ÷를 앞에서부터 차례대로 계산한 다음 +, −를 앞에서부터 차례대로 계산합니다.

이 경우에도 학생들이 계산 순서를 무턱대고 외우기 보다는 +, −, ×, ÷가 섞여 있는 식이 나오는 상황을 생각해 보며 계산 순서를 이해할 수 있도록 지도해 주세요.

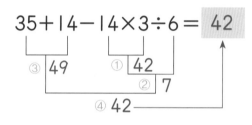

$$35+14-14\times3\div6=42$$

P 26 ~ 27

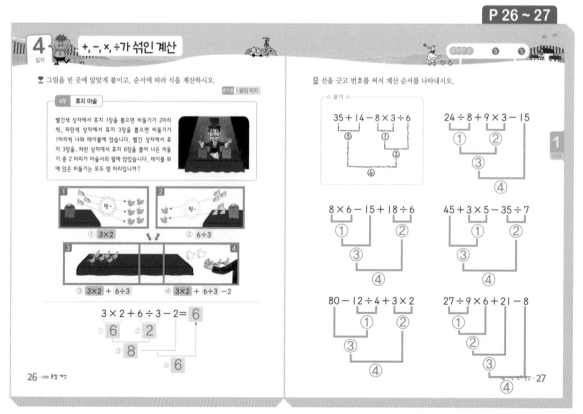

4

계산 순서를 나타내고 계산을 하시오.

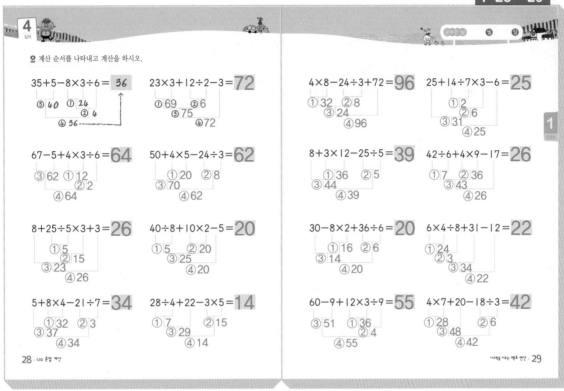

$35+5-8×3÷6 = 36$
③40 ①24 ②4 ④36

$23×3+12÷2-3 = 72$
①69 ②6 ③75 ④72

$4×8-24÷3+72 = 96$
①32 ②8 ③24 ④96

$25+14÷7×3-6 = 25$
①2 ②6 ③31 ④25

$67-5+4×3÷6 = 64$
③62 ①12 ②2 ④64

$50+4×5-24÷3 = 62$
①20 ②8 ③70 ④62

$8+3×12-25÷5 = 39$
①36 ②5 ③44 ④39

$42÷6+4×9-17 = 26$
①7 ②36 ③43 ④26

$8+25÷5×3+3 = 26$
①5 ②15 ③23 ④26

$40÷8+10×2-5 = 20$
①5 ②20 ③25 ④20

$30-8×2+36÷6 = 20$
①16 ②6 ③14 ④20

$6×4÷8+31-12 = 22$
①24 ②3 ③34 ④22

$5+8×4-21÷7 = 34$
①32 ②3 ③37 ④34

$28÷4+22-3×5 = 14$
①7 ②15 ③29 ④14

$60-9+12×3÷9 = 55$
③51 ①36 ②4 ④55

$4×7+20-18÷3 = 42$
①28 ②6 ③48 ④42

28 · C03 혼합 계산

사고력을 키우는 팩토 연산 · 29

P 30 ~ 31

4

계산을 하시오.

$18+4×9-12÷3 = 50$

$25÷5+32-2×6 = 25$

$63+7-35÷5×6 = 28$

$10×4-10+12÷6 = 32$

$46+14-6×3÷2 = 51$

$32-28÷7+3×5 = 43$

$48÷8+9×2-14 = 10$

$24-18÷6×4+15 = 27$

$4×6÷8+27-19 = 11$

$12-9+27÷3×8 = 75$

$16+9×2-24÷6 = 30$

$36+14-12×3÷6 = 44$

$16+20÷5×6-8 = 32$

$27-14÷2+8×4 = 52$

$50+4×6÷8-25 = 28$

$32÷4+45-12×3 = 17$

$21÷7+39-3×9 = 15$

$6×14-28÷4+3 = 80$

$7×4+14÷7-14 = 16$

$18+14×2-48÷8 = 40$

30 · C03 혼합 계산

학습가이드

+, −, ×, ÷와 더불어 ( )가 섞여 있는 식의 계산 순서를 학습하는 과정입니다.

( )가 있는 경우에는 제일 먼저 ( ) 안에 있는 식부터 1~4일차에서 학습한 계산 순서대로 계산을 한 다음 ( ) 밖의 나머지 식을 계산합니다.

C03권에서는 소괄호 ( )만 사용한 식의 계산 순서를 학습하지만 식에 쓰이는 괄호에는 소괄호 ( )와 중괄호 { }가 있습니다. ( ), { }가 있는 식은 ( ) 안을 먼저 계산한 후 { } 안을 나중에 계산합니다.

$$28 + (6 + 5) \times 2 = \boxed{50}$$

① 11
② 22
③ 50

P 32 ~ 33

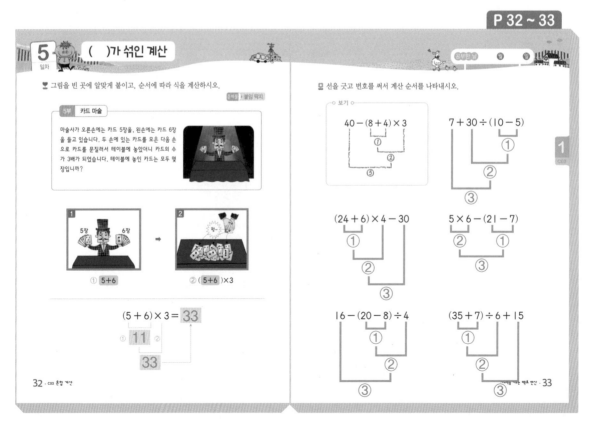

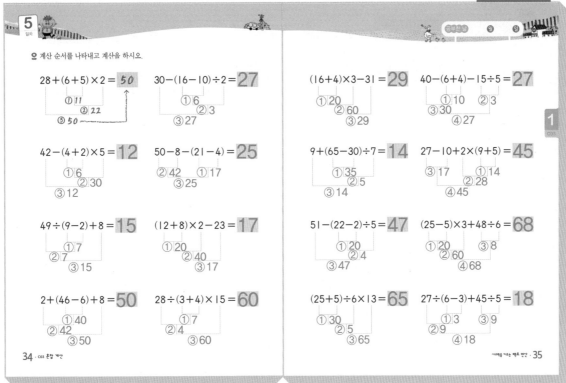

5 일차

○ 계산 순서를 나타내고 계산을 하시오.

$28+(6+5)\times2=50$
① 11
② 22
③ 50

$30-(16-10)\div2=27$
① 6
② 3
③ 27

$(16+4)\times3-31=29$
① 20
② 60
③ 29

$40-(6+4)-15\div5=27$
① 10   ② 3
③ 30   ④ 27

$42-(4+2)\times5=12$
① 6
② 30
③ 12

$50-8-(21-4)=25$
② 42   ① 17
③ 25

$9+(65-30)\div7=14$
① 35
② 5
③ 14

$27-10+2\times(9+5)=45$
③ 17   ① 14
② 28
④ 45

$49\div(9-2)+8=15$
① 7
② 7
③ 15

$(12+8)\times2-23=17$
① 20
② 40
③ 17

$51-(22-2)\div5=47$
① 20
② 4
③ 47

$(25-5)\times3+48\div6=68$
① 20   ③ 8
② 60
④ 68

$2+(46-6)+8=50$
① 40
② 42
③ 50

$28\div(3+4)\times15=60$
① 7
② 4
③ 60

$(25+5)\div6\times13=65$
① 30
② 5
③ 65

$27\div(6-3)+45\div5=18$
① 3   ③ 9
② 9
④ 18

34 · C03 혼합 계산

사고력을 키우는 팩토 연산 · 35

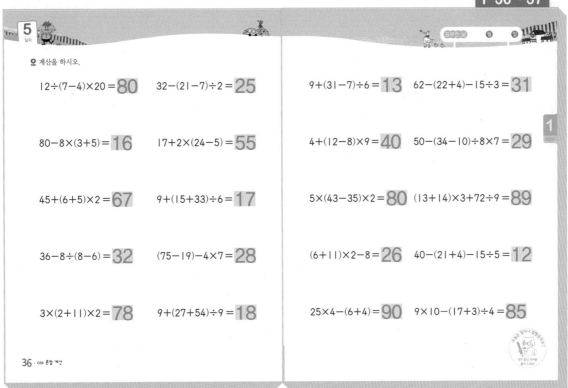

5 일차

○ 계산을 하시오.

$12\div(7-4)\times20=80$

$32-(21-7)\div2=25$

$9+(31-4)\div6=13$

$62-(22+4)-15\div3=31$

$80-8\times(3+5)=16$

$17+2\times(24-5)=55$

$4+(12-8)\times9=40$

$50-(34-10)\div8\times7=29$

$45+(6+5)\times2=67$

$9+(15+33)\div6=17$

$5\times(43-35)\times2=80$

$(13+14)\times3+72\div9=89$

$36-8\div(8-6)=32$

$(75-19)-4\times7=28$

$(6+11)\times2-8=26$

$40-(21+4)-15\div5=12$

$3\times(2+11)\times2=78$

$9+(27+54)\div9=18$

$25\times4-(6+4)=90$

$9\times10-(17+3)\div4=85$

36 · C03 혼합 계산

P 40 ~ 41

혼합 계산 **연산 실력 체크**

정답 수 / 40개
날짜 월 일

2~4주 사고력 연산을 학습하기 전에 기본 연산 실력을 점검해 보세요.

1. $24+43-17=50$

2. $50-15+26=61$

3. $62-27-23=12$

4. $3×2×16=96$

5. $42÷7×9=54$

6. $12×2÷4=6$

7. $60+2×19=98$

8. $45÷5+32=41$

9. $6+9×3-8=25$

10. $4×3+8÷2=16$

11. $7+54÷6-5=11$

12. $32-6×6÷4=23$

13. $65-(16+4)=45$

14. $70-(20-8)=58$

15. $56-(16-9)=49$

16. $42+(30-6)=66$

17. $87-(8+4)×5=27$

18. $40÷(6+2)+8=13$

19. $16+40÷8+36=57$

20. $31-72÷(4+5)=23$

21. $20+52-36÷4=63$

22. $8×(17-6)-29=59$

23. $25÷5+7×4-16=17$

24. $70-5×(4+7)+8=23$

P 40 ~ 41

혼합 계산

25. $70-(29+2)-9÷3=36$

26. $25×4-16-4×10=44$

27. $92-(40+5)÷5×7=29$

28. $10+15×4+54÷9=76$

29. $54-(19-7)-8÷2=38$

30. $16×(2+4)-54÷6=87$

31. $14÷(16-9)×25=50$

32. $9×3-8÷2+5=28$

33. $62+(15+21)÷4=71$

34. $19+52-17×2=37$

35. $16-2×(23-5)÷9=12$

36. $(25-9)÷2+45÷5=17$

37. $48÷8+(28-7)÷3=13$

38. $70-12-72÷8×2=40$

39. $3×5+(12-8)×9=51$

40. $(7+8)×3-14÷2=38$

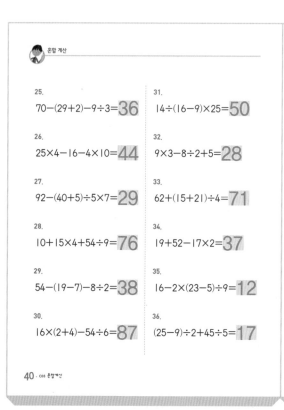

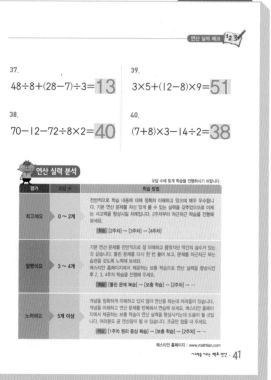

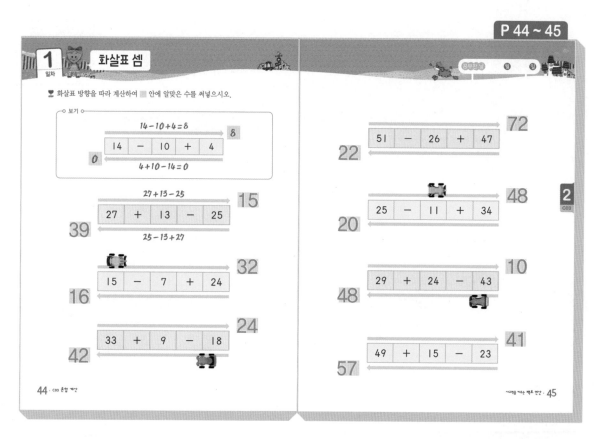

P 44 ~ 45

1일차 화살표 셈

🐱 화살표 방향을 따라 계산하여 ▨ 안에 알맞은 수를 써넣으시오.

보기

14 – 10 + 4 = 8

| 14 | – | 10 | + | 4 |

8

0

4 + 10 – 14 = 0

27 + 13 – 25

| 27 | + | 13 | – | 25 |

15

39

25 – 13 + 27

| 15 | – | 7 | + | 24 |

32

16

| 33 | + | 9 | | 18 |

24

42

| 51 | – | 26 | + | 47 |

72

22

| 25 | – | 11 | + | 34 |

48

20

| 29 | + | 24 | – | 43 |

10

48

| 49 | + | 15 | – | 23 |

41

57

44 · C03 혼합 계산

사고력을 키우는 팩토 연산 · 45

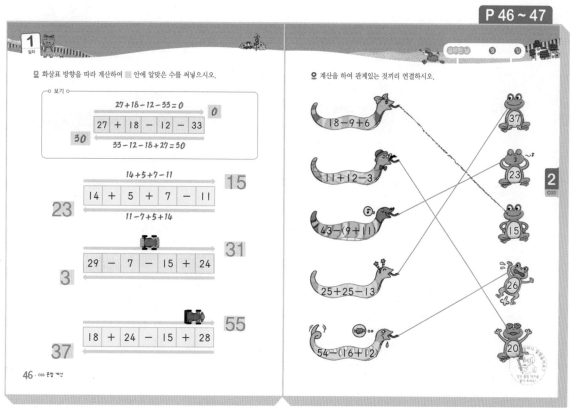

P 46 ~ 47

1일차

🐱 화살표 방향을 따라 계산하여 ▨ 안에 알맞은 수를 써넣으시오.

보기

27 + 18 – 12 – 33 = 0

| 27 | + | 18 | – | 12 | – | 33 |

0

30

33 – 12 – 18 + 27 = 30

14 + 5 + 7 – 11

| 14 | + | 5 | + | 7 | – | 11 |

15

23

11 – 7 + 5 + 14

| 29 | – | 7 | – | 15 | + | 24 |

31

3

| 18 | + | 24 | – | 15 | + | 28 |

55

37

🐸 계산을 하여 관계있는 것끼리 연결하시오.

18 – 9 + 6 ────── 37

11 + 12 – 3 ────── 23

43 – (9 + 11) ────── 15

25 + 25 – 13 ────── 26

54 – (16 + 12) ────── 20

46 · C03 혼합 계산

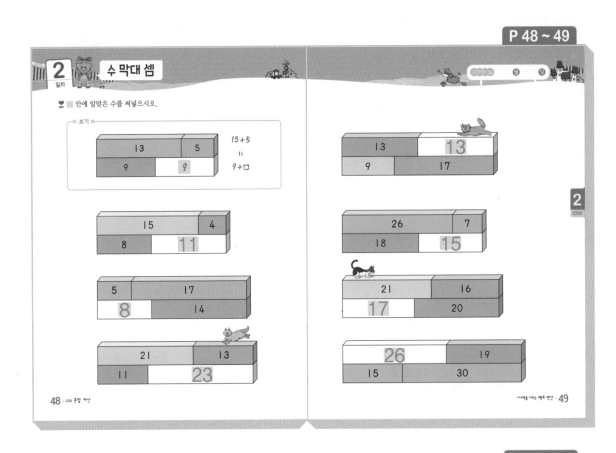

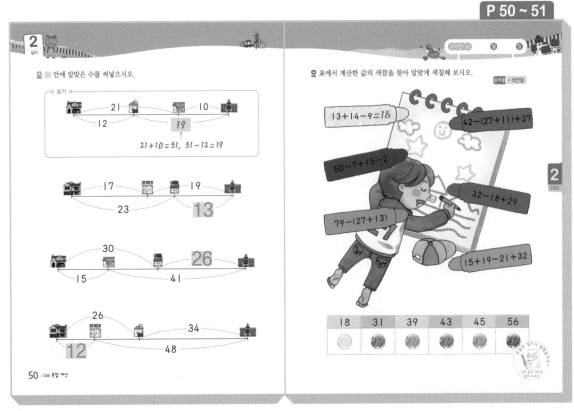

P 52 ~ 53

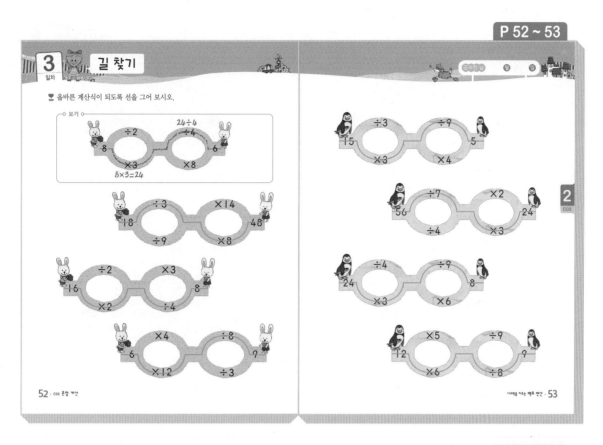

P 54 ~ 55

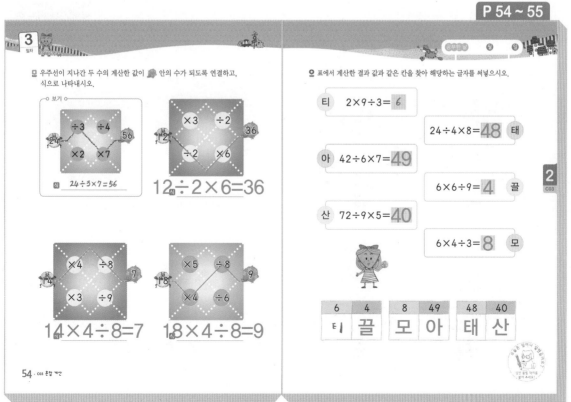

P 56 ~ 57

4일차 올바른 식 찾기

♥ 주어진 식 중 올바른 식을 찾아 ◯표 하시오.

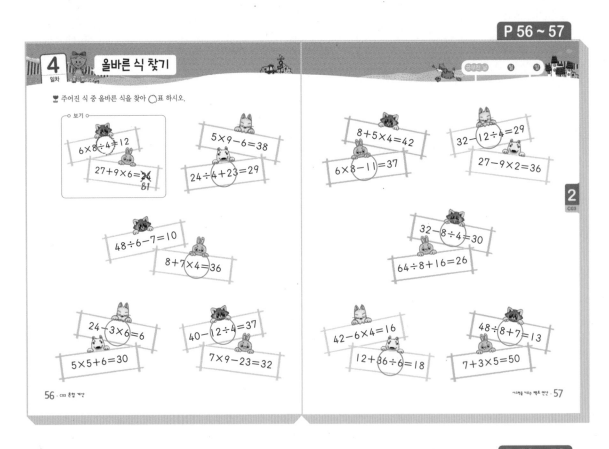

보기
$6 \times 8 \div 4 = 12$
$27 + 9 \times 6 = \overset{81}{\cancel{24}}$

$5 \times 9 - 6 = 38$
$24 \div 4 + 23 = 29$

$8 + 5 \times 4 = 42$
$6 \times 8 - 11 = 37$

$32 - 12 \div 4 = 29$
$27 - 9 \times 2 = 36$

$48 \div 6 - 7 = 10$
$8 + 7 \times 4 = 36$

$32 - 8 \div 4 = 30$
$64 \div 8 + 16 = 26$

$24 - 3 \times 6 = 6$
$5 \times 5 + 6 = 30$

$40 - 12 \div 4 = 37$
$7 \times 9 - 23 = 32$

$42 - 6 \times 4 = 16$
$12 + 36 \div 6 = 18$

$48 \div 8 + 7 = 13$
$7 + 3 \times 5 = 50$

56 · C03 혼합 계산

사고력을 키우는 팩토 연산 · 57

P 58 ~ 59

4일차

♣ 주어진 계산값이 나오는 식을 찾아 ◯표 하시오.

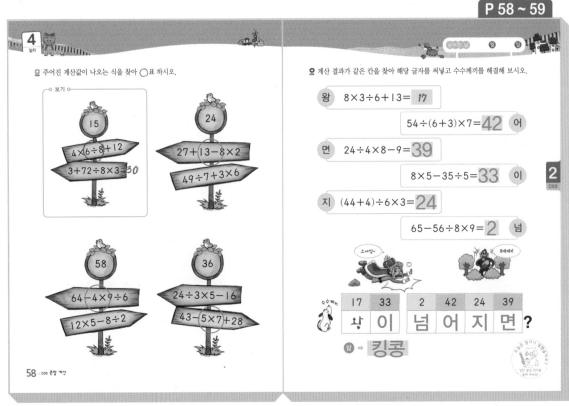

보기
15
$4 \times 6 \div 8 + 12$
$3 + 72 \div 8 \times 3 = 30$

24
$27 + 13 - 8 \times 2$
$49 \div 7 + 3 \times 6$

58
$64 - 4 \times 9 \div 6$
$12 \times 5 - 8 \div 2$

36
$24 \div 3 \times 5 - 16$
$43 - 5 \times 7 + 28$

♣ 계산 결과가 같은 칸을 찾아 해당 글자를 써넣고 수수께끼를 해결해 보시오.

왕 $8 \times 3 \div 6 + 13 = \boxed{17}$

$54 \div (6 + 3) \times 7 = \boxed{42}$ 어

면 $24 \div 4 \times 8 - 9 = \boxed{39}$

$8 \times 5 - 35 \div 5 = \boxed{33}$ 이

지 $(44 + 4) \div 6 \times 3 = \boxed{24}$

$65 - 56 \div 8 \times 9 = \boxed{2}$ 넘

17	33	2	42	24	39
왕	이	넘	어	지	면

?

답 → 킹콩

58 · C03 혼합 계산

P 60 ~ 61

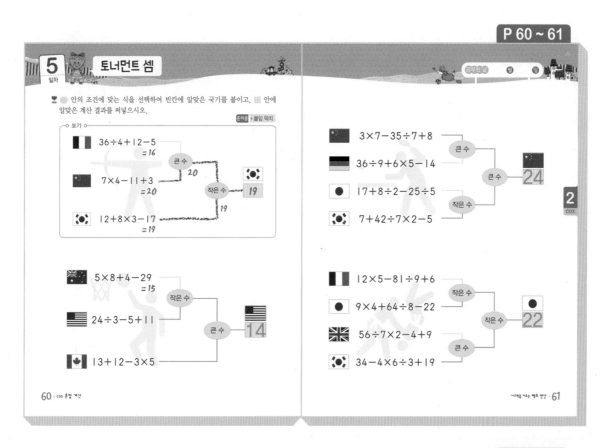

P 62 ~ 63

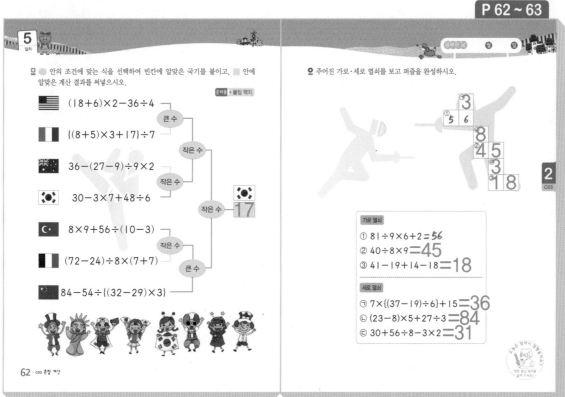

가로 열쇠
① $81 \div 9 \times 6 + 2 = 56$
② $40 \div 8 \times 9 = 45$
③ $41 - 19 + 14 - 18 = 18$

세로 열쇠
㉠ $7 \times \{(37 - 19) \div 6\} + 15 = 36$
㉡ $(23 - 8) \times 5 + 27 \div 3 = 84$
㉢ $30 + 56 \div 8 - 3 \times 2 = 31$

P 66 ~ 67

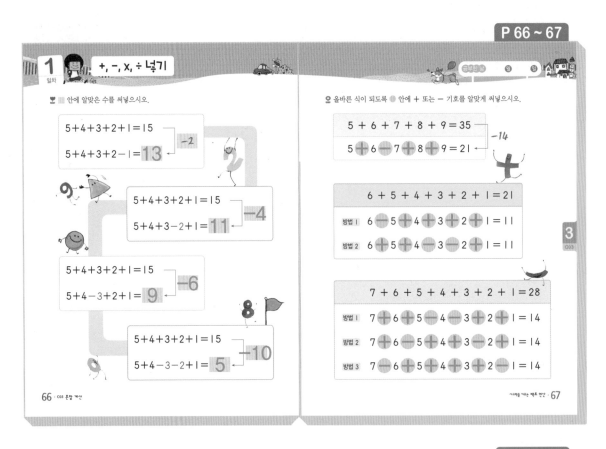

1 일차 +, −, ×, ÷ 넣기

☺ ☐ 안에 알맞은 수를 써넣으시오.

$5+4+3+2+1=15$
$5+4+3+2-1=13$ ← -2

$5+4+3+2+1=15$
$5+4+3-2+1=11$ ← -4

$5+4+3+2+1=15$
$5+4-3+2+1=9$ ← -6

$5+4+3+2+1=15$
$5+4-3-2+1=5$ ← -10

66 · C03 혼합 계산

☺ 올바른 식이 되도록 ● 안에 + 또는 − 기호를 알맞게 써넣으시오.

$5+6+7+8+9=35$
$5+6−7+8+9=21$ ← -14

$6 + 5 + 4 + 3 + 2 + 1 = 21$
방법 1 $6−5+4+3+2+1=11$
방법 2 $6+5+4−3−2+1=11$

$7 + 6 + 5 + 4 + 3 + 2 + 1 = 28$
방법 1 $7+6−5+4−3+2−1=14$
방법 2 $7−6+5+4+3−2−1=14$
방법 3 $7+6−5+4−3−2−1=14$

사고력을 키우는 팩토 연산 · 67

P 68 ~ 69

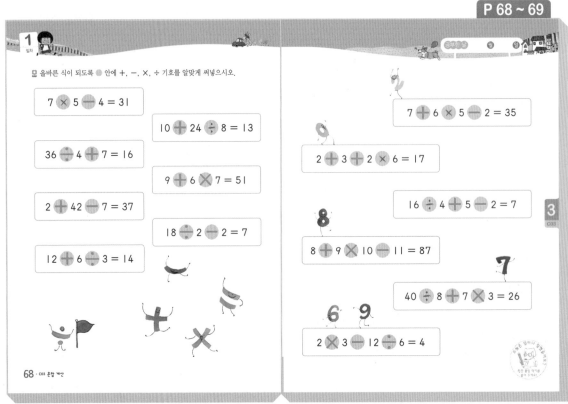

1 일차

☺ 올바른 식이 되도록 ● 안에 +, −, ×, ÷ 기호를 알맞게 써넣으시오.

$7 × 5 − 4 = 31$

$10 + 24 ÷ 8 = 13$

$36 ÷ 4 + 7 = 16$

$9 + 6 × 7 = 51$

$2 + 42 ÷ 7 = 37$

$18 ÷ 2 − 2 = 7$

$12 + 6 − 3 = 14$

$7 + 6 × 5 − 2 = 35$

$2 + 3 + 2 × 6 = 17$

$16 ÷ 4 + 5 − 2 = 7$

$8 + 9 × 10 − 11 = 87$

$40 ÷ 8 + 7 × 3 = 26$

$2 × 3 − 12 ÷ 6 = 4$

68 · C03 혼합 계산

P 70 ~ 71

2일차 목표수 만들기

수 카드를 모두 사용하여 주어진 수를 만들어 보시오. 🔲 온라인 활동지

예) $4 \times 5 - 3 = 17$

$12 \div 3 + 4 = 8$

예) $13 + 4 \times 7 = 41$

$18 - 9 \div 3 = 15$

$7 + 16 \div 8 \times 5 = 17$

$9 + 42 \div 7 - 5 = 10$

예) $4 \times 6 + 25 \div 5 = 29$

예) $4 \times 5 - 12 + 15 = 23$

70 · C03 혼합 계산

사고력을 키우는 팩토 연산 · 71

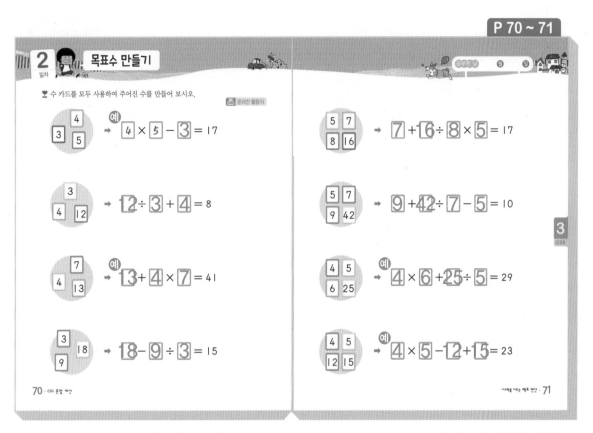

P 72 ~ 73

2일차

같은 모양에 있는 알맞은 수를 써넣어 주어진 수를 만들어 보시오.

$16 - 8 \div 4 = 14$

$12 \div 6 + 4 = 6$

$11 - 2 \times 5 = 1$

$12 + 6 \times 2 = 24$

$17 + 24 \div 8 = 20$

$4 \times 12 - 17 = 31$

$12 - 20 \div 4 = 7$

$20 + 9 \times 5 = 65$

72 · C03 혼합 계산

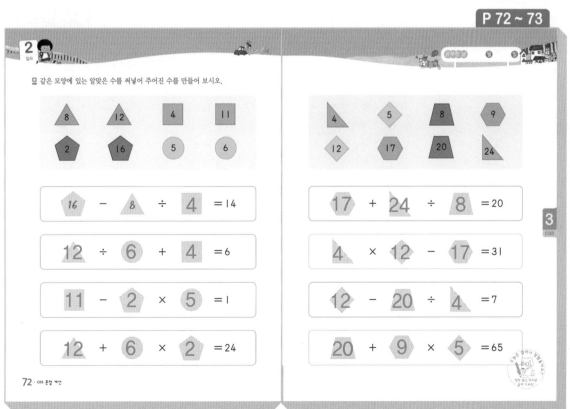

P 74 ~ 75

3 일차 약속 셈

약속에 맞게 식을 계산하여 ▢ 안에 알맞은 수를 써넣으시오.

약속 가 ◆ 나 = 가 × 가 + 나

$3 ◆ 5 = 3 × 3 + 5 = 14$

$4 ◆ 6 = 4 × 4 + 6 = 22$

$5 ◆ 2 = 5 × 5 + 2 = 27$

약속 가 ▲ 나 = (가 + 나) × 2

$2 ▲ 3 = (2 + 3) × 2 = 10$

$5 ▲ 2 = (5 + 2) × 2 = 14$

$4 ▲ 8 = (4 + 8) × 2 = 24$

약속 가 ♠ 나 = 나 × 나 - 가

$4 ♠ 5 = 21$
  → 5×5-4

$3 ♠ 7 = 46$

$8 ♠ 6 = 28$

$5 ♠ 9 = 76$

약속 가 ♣ 나 = (가 + 나) × (가 + 나)

$3 ♣ 6 = 81$
  → (3+6)×(3+6)

$2 ♣ 4 = 36$

$5 ♣ 2 = 49$

$4 ♣ 4 = 64$

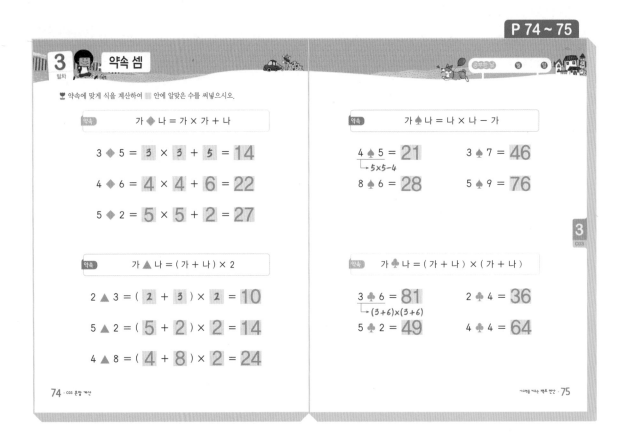

P 76 ~ 77

3 일차

약속을 찾아 계산하여 ▢ 안에 알맞은 수를 써넣으시오.

약속
$2 ▣ 1 = 3$
  2×2-1
$3 ▣ 2 = 7$
  3×3-2
$5 ▣ 3 = 22$
$4 ▣ 6 = 10$

$7 ▣ 5 = 44$

A▣B=A×A−B

약속
$2 ♥ 1 = 6$
  (2+1)×2
$3 ♥ 6 = 18$
  (3+6)×2
$4 ♥ 4 = 16$
$5 ♥ 2 = 14$

$4 ♥ 7 = 22$

A♥B=(A+B)×2

약속
$2 ♣ 8 = 4$
$3 ♣ 24 = 8$
$5 ♣ 10 = 2$
$2 ♣ 18 = 9$

$7 ♣ 42 = 6$

A♣B=B÷A

약속
$2 ★ 3 = 7$
$3 ★ 5 = 16$
$4 ★ 3 = 13$
$1 ★ 5 = 6$

$6 ★ 2 = 13$

A★B=A×B+1

약속
$5 ♠ 1 = 6$
  1×1+5
$4 ♠ 2 = 8$
$3 ♠ 3 = 12$
$2 ♠ 4 = 18$

$1 ♠ 5 = 26$

A♠B=B×B+A

약속
$1 ◆ 2 = 9$
$2 ◆ 3 = 25$
$3 ◆ 1 = 16$
$4 ◆ 2 = 36$

$2 ◆ 2 = 16$

A◆B=(A+B)×(A+B)

약속
$3 ◈ 1 = 10$
$4 ◈ 2 = 18$
$3 ◈ 6 = 15$
$5 ◈ 4 = 29$

$3 ◈ 3 = 12$

A◈B=A×A+B

약속
$4 ▲ 3 = 3$
$5 ▲ 3 = 6$
$7 ▲ 4 = 9$
$5 ▲ 1 = 12$

$9 ▲ 2 = 21$

A▲B=(A−B)×3

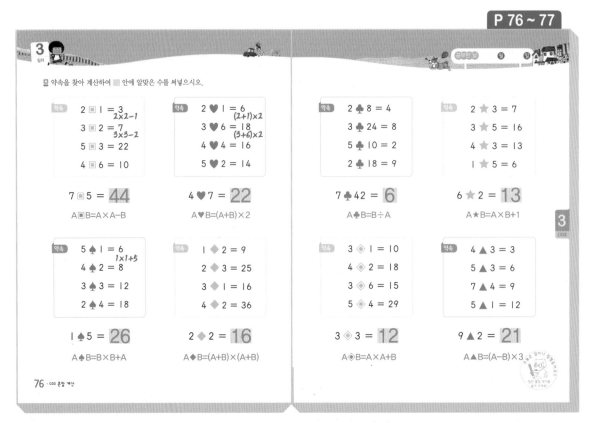

P 78 ~ 79

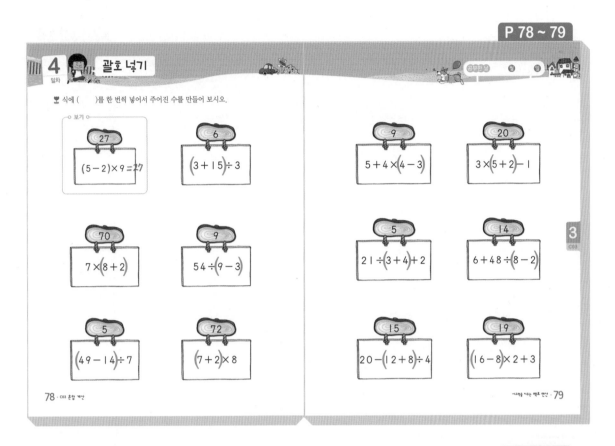

P 80 ~ 81

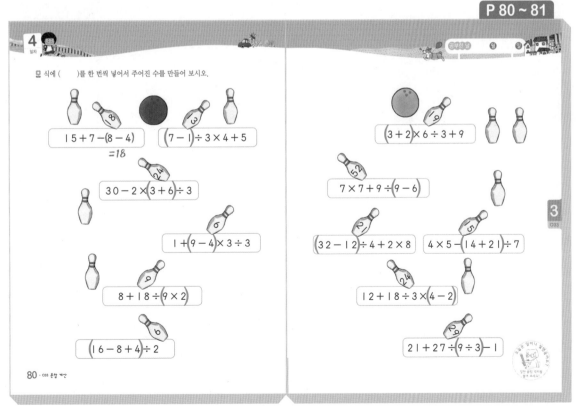

P 82 ~ 83

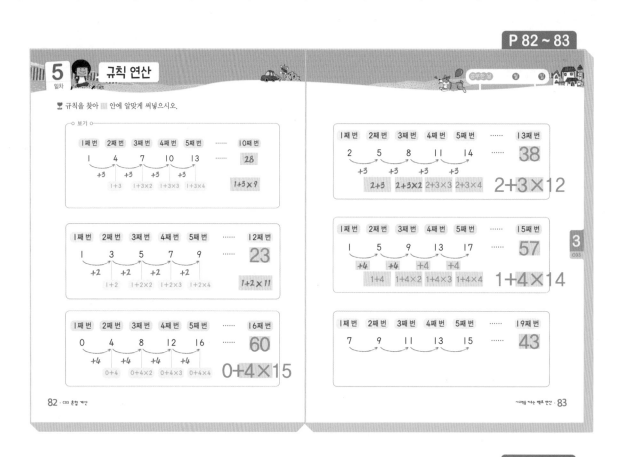

P 84 ~ 85

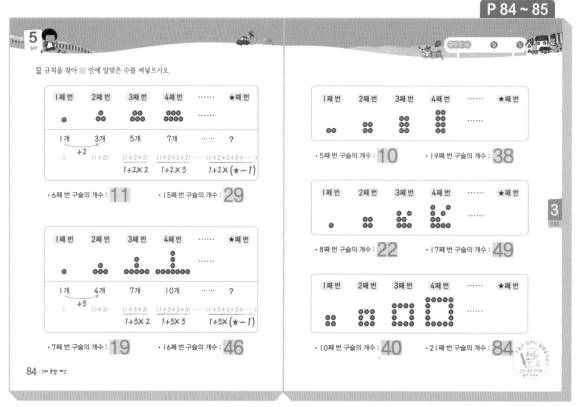

P 88 ~ 89

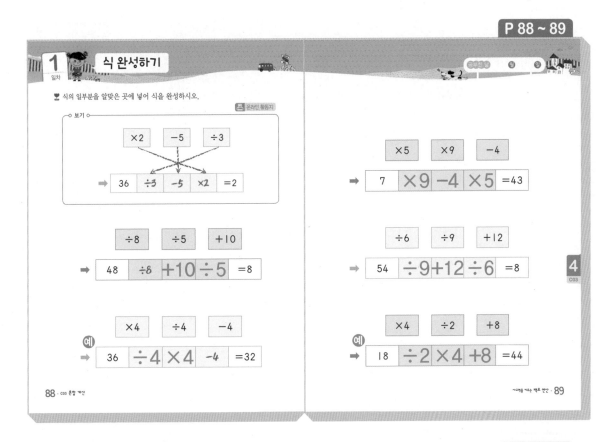

P 90 ~ 91

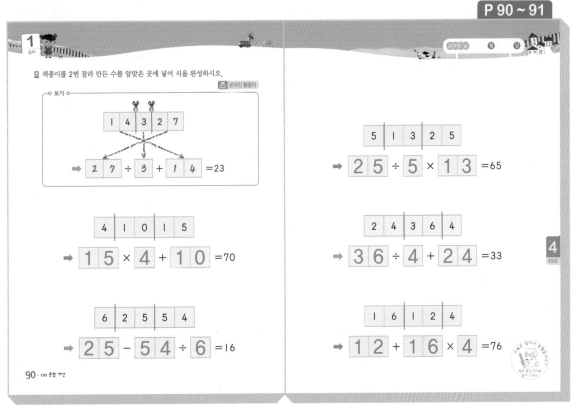

P 92 ~ 93

2 일차 가장 큰 값, 가장 작은 값

숫자 카드를 이용하여 계산 결과가 **가장 크게, 가장 작게** 되도록 만들어 보시오.

온라인 활동지

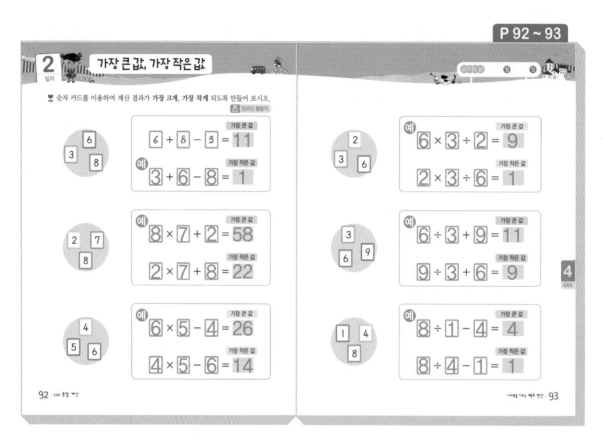

3 6 8

예 가장 큰 값
$6 + 8 - 3 = 11$

예 가장 작은 값
$3 + 6 - 8 = 1$

2 7 8

예 가장 큰 값
$8 × 7 + 2 = 58$

가장 작은 값
$2 × 7 + 8 = 22$

4 5 6

예 가장 큰 값
$6 × 5 - 4 = 26$

가장 작은 값
$4 × 5 - 6 = 14$

2 3 6

예 가장 큰 값
$6 × 3 ÷ 2 = 9$

가장 작은 값
$2 × 3 ÷ 6 = 1$

3 6 9

예 가장 큰 값
$6 ÷ 3 + 9 = 11$

가장 작은 값
$9 ÷ 3 + 6 = 9$

1 4 8

예 가장 큰 값
$8 ÷ 1 - 4 = 4$

가장 작은 값
$8 ÷ 4 - 1 = 1$

92 · C03 혼합 계산

93

P 94 ~ 95

2 일차

숫자 카드를 이용하여 계산 결과가 **가장 크게 또는 가장 작게** 되도록 만들어 보시오.

온라인 활동지

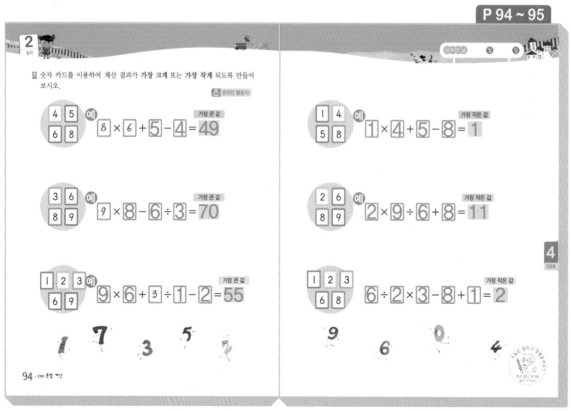

4 5 6 8

예 가장 큰 값
$8 × 6 + 5 - 4 = 49$

1 4 5 8

예 가장 작은 값
$1 × 4 + 5 - 8 = 1$

3 6 8 9

예 가장 큰 값
$9 × 8 - 6 ÷ 3 = 70$

2 6 8 9

예 가장 작은 값
$2 × 9 ÷ 6 + 8 = 11$

1 2 3 6 9

예 가장 큰 값
$9 × 6 + 3 ÷ 1 - 2 = 55$

1 2 3 6 8

가장 작은 값
$6 ÷ 2 × 3 - 8 + 1 = 2$

94 · C03 혼합 계산

C03
정답

P 96 ~ 97

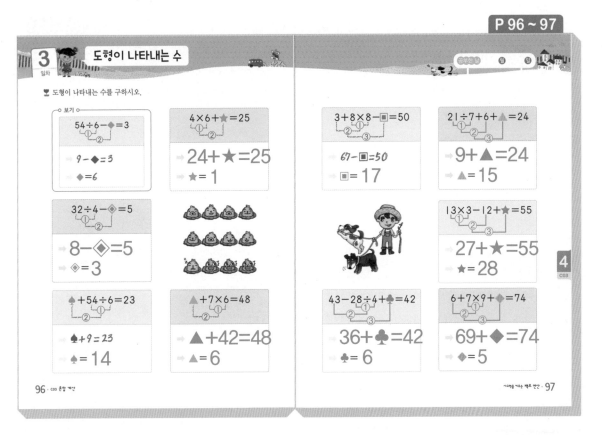

3 일차 도형이 나타내는 수

도형이 나타내는 수를 구하시오.

보기
$54 \div 6 - \blacklozenge = 3$
➡ $9 - \blacklozenge = 3$
➡ $\blacklozenge = 6$

$4 \times 6 + \bigstar = 25$
➡ $24 + \bigstar = 25$
➡ $\bigstar = 1$

$3 + 8 \times 8 - \blacksquare = 50$
➡ $67 - \blacksquare = 50$
➡ $\blacksquare = 17$

$21 \div 7 + 6 + \blacktriangle = 24$
➡ $9 + \blacktriangle = 24$
➡ $\blacktriangle = 15$

$32 \div 4 - \blacklozenge = 5$
➡ $8 - \blacklozenge = 5$
➡ $\blacklozenge = 3$

$13 \times 3 - 12 + \bigstar = 55$
➡ $27 + \bigstar = 55$
➡ $\bigstar = 28$

$\spadesuit + 54 \div 6 = 23$
➡ $\spadesuit + 9 = 23$
➡ $\spadesuit = 14$

$\blacktriangle + 7 \times 6 = 48$
➡ $\blacktriangle + 42 = 48$
➡ $\blacktriangle = 6$

$43 - 28 \div 4 + \clubsuit = 42$
➡ $36 + \clubsuit = 42$
➡ $\clubsuit = 6$

$6 + 7 \times 9 + \blacklozenge = 74$
➡ $69 + \blacklozenge = 74$
➡ $\blacklozenge = 5$

96 · C03 혼합 계산

사고력을 키우는 팩토 연산 · 97

P 98 ~ 99

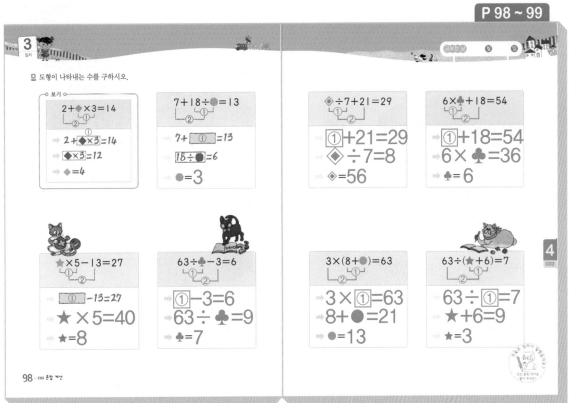

3 일차

도형이 나타내는 수를 구하시오.

보기
$2 + \blacklozenge \times 3 = 14$
➡ $2 + \boxed{\blacklozenge \times 3} = 14$
➡ $\blacklozenge \times 3 = 12$
➡ $\blacklozenge = 4$

$7 + 18 \div \bullet = 13$
➡ $7 + \boxed{①} = 13$
➡ $18 \div \bullet = 6$
➡ $\bullet = 3$

$\blacklozenge \div 7 + 21 = 29$
➡ $\boxed{①} + 21 = 29$
➡ $\blacklozenge \div 7 = 8$
➡ $\blacklozenge = 56$

$6 \times \clubsuit + 18 = 54$
➡ $\boxed{①} + 18 = 54$
➡ $6 \times \clubsuit = 36$
➡ $\clubsuit = 6$

$\bigstar \times 5 - 13 = 27$
➡ $\boxed{①} - 13 = 27$
➡ $\bigstar \times 5 = 40$
➡ $\bigstar = 8$

$63 \div \clubsuit - 3 = 6$
➡ $\boxed{①} - 3 = 6$
➡ $63 \div \clubsuit = 9$
➡ $\clubsuit = 7$

$3 \times (8 + \bullet) = 63$
➡ $3 \times \boxed{①} = 63$
➡ $8 + \bullet = 21$
➡ $\bullet = 13$

$63 \div (\bigstar + 6) = 7$
➡ $63 \div \boxed{①} = 7$
➡ $\bigstar + 6 = 9$
➡ $\bigstar = 3$

98 · C03 혼합 계산

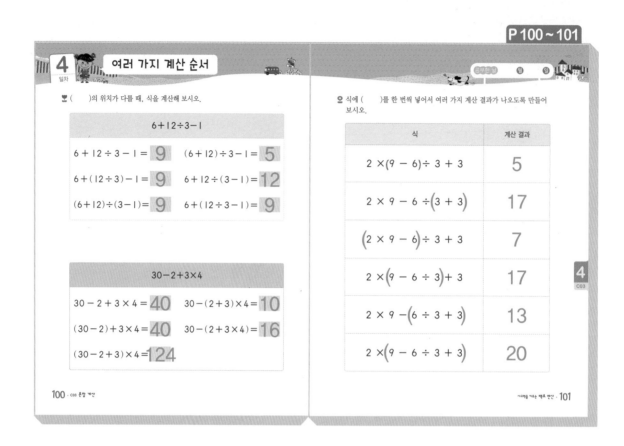

4 일차　여러 가지 계산 순서

( )의 위치가 다를 때, 식을 계산해 보시오.

6+12÷3-1

$6 + 12 \div 3 - 1 = 9$　　$(6 + 12) \div 3 - 1 = 5$

$6 + (12 \div 3) - 1 = 9$　　$6 + 12 \div (3 - 1) = 12$

$(6 + 12) \div (3 - 1) = 9$　　$6 + (12 \div 3 - 1) = 9$

30-2+3×4

$30 - 2 + 3 \times 4 = 40$　　$30 - (2 + 3) \times 4 = 10$

$(30 - 2) + 3 \times 4 = 40$　　$30 - (2 + 3 \times 4) = 16$

$(30 - 2 + 3) \times 4 = 124$

식에 ( )를 한 번씩 넣어서 여러 가지 계산 결과가 나오도록 만들어 보시오.

식	계산 결과
$2 \times (9 - 6) \div 3 + 3$	5
$2 \times 9 - 6 \div (3 + 3)$	17
$(2 \times 9 - 6) \div 3 + 3$	7
$2 \times (9 - 6 \div 3) + 3$	17
$2 \times 9 - (6 \div 3 + 3)$	13
$2 \times (9 - 6 \div 3 + 3)$	20

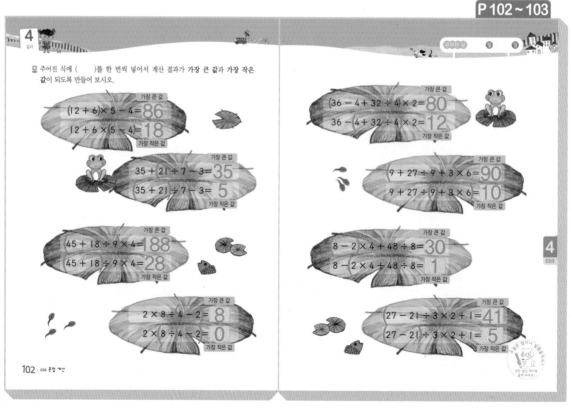

4 일차

주어진 식에 ( )를 한 번씩 넣어서 계산 결과가 가장 큰 값과 가장 작은 값이 되도록 만들어 보시오.

가장 큰 값
$(12 + 6) \times 5 - 4 = 86$
$12 + 6 \times 5 - 4 = 18$
가장 작은 값

가장 큰 값
$35 + 21 \div 7 - 3 = 35$
$35 + 21 \div 7 - 3 = 5$
가장 작은 값

가장 큰 값
$45 + 18 \div 9 \times 4 = 188$
$45 + 18 \div 9 \times 4 = 28$
가장 작은 값

가장 큰 값
$2 \times 8 \div 4 - 2 = 8$
$2 \times 8 \div 4 - 2 = 0$
가장 작은 값

가장 큰 값
$(36 - 4 + 32 \div 4 \times 2 = 80$
$36 - 4 + 32 \div 4 \times 2 = 12$
가장 작은 값

가장 큰 값
$(9 + 27 \div 9 + 3 \times 6 = 90$
$9 + 27 \div 9 + 3 \times 6 = 10$
가장 작은 값

가장 큰 값
$8 - 2 \times 4 + 48 \div 8 = 30$
$8 - 2 \times 4 + 48 \div 8 = 1$
가장 작은 값

가장 큰 값
$(27 - 21 \div 3 \times 2 + 1 = 41$
$27 - 21 \div 3 \times 2 + 1 = 5$
가장 작은 값

P 104~105

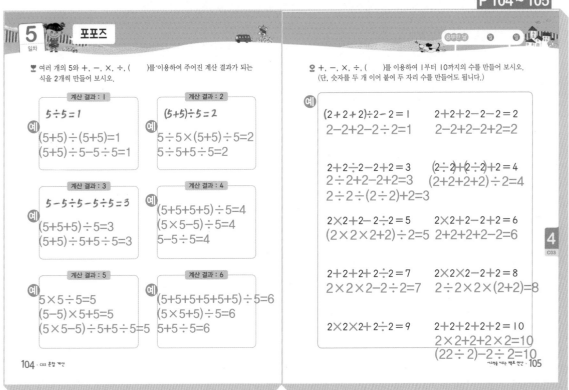

5 일차 **포포즈**

🏆 여러 개의 5와 +, −, ×, ÷, ( )를 이용하여 주어진 계산 결과가 되는
식을 2개씩 만들어 보시오.

계산 결과 : 1

예
$5 \div 5 = 1$
$(5+5) \div (5+5) = 1$
$(5+5) \div 5 - 5 \div 5 = 1$

계산 결과 : 2

예
$(5+5) \div 5 = 2$
$5 \div 5 \times (5+5) \div 5 = 2$
$5 \div 5 + 5 \div 5 = 2$

계산 결과 : 3

예
$5 - 5 \div 5 - 5 \div 5 = 3$
$(5+5+5) \div 5 = 3$
$(5+5) \div 5 + 5 \div 5 = 3$

계산 결과 : 4

예
$(5+5+5) \div 5 = 4$
$(5 \times 5 - 5) \div 5 = 4$
$5 - 5 \div 5 = 4$

계산 결과 : 5

예
$5 \times 5 \div 5 = 5$
$(5-5) \times 5 + 5 = 5$
$(5 \times 5 - 5) \div 5 + 5 = 5$

계산 결과 : 6

예
$(5+5+5+5+5+5) \div 5 = 6$
$(5 \times 5 + 5) \div 5 = 6$
$5 + 5 \div 5 = 6$

104 · C03 혼합 계산

🔵 +, −, ×, ÷, ( )를 이용하여 1부터 10까지의 수를 만들어 보시오.
(단, 숫자를 두 개 이어 붙여 두 자리 수를 만들어도 됩니다.)

예
$(2+2+2) \div 2 - 2 = 1$
$2-2+2-2 \div 2 = 1$

$2+2+2-2-2 = 2$
$2-2+2-2+2 = 2$

$2+2 \div 2 - 2 + 2 = 3$
$2 \div 2 + 2 - 2 + 2 = 3$
$2 \div 2 \div (2 \div 2) + 2 = 3$

$(2 \div 2 + 2 \div 2) + 2 = 4$
$(2+2+2+2) \div 2 = 4$

$2 \times 2 + 2 - 2 \div 2 = 5$
$(2 \times 2 \times 2 + 2) \div 2 = 5$

$2 \times 2 + 2 - 2 + 2 = 6$
$2+2+2+2-2 = 6$

$2+2+2+2 \div 2 = 7$
$2 \times 2 \times 2 - 2 + 2 = 8$
$2 \times 2 \times 2 - 2 \div 2 = 7$
$2 \div 2 \times 2 \times (2+2) = 8$

$2 \times 2 \times 2 + 2 \div 2 = 9$
$2+2+2+2+2 = 10$
$2 \times 2 + 2 + 2 \times 2 = 10$
$(22 \div 2) - 2 \div 2 = 10$

사고력을 키우는 팩토 연산 · 105

P 106~107

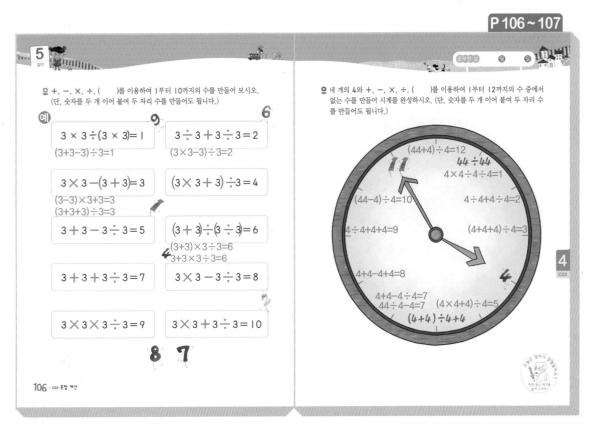

5 일차

🔵 +, −, ×, ÷, ( )를 이용하여 1부터 10까지의 수를 만들어 보시오.
(단, 숫자를 두 개 이어 붙여 두 자리 수를 만들어도 됩니다.)

예 **9**
$3 \times 3 \div (3 \times 3) = 1$
$(3+3-3) \div 3 = 1$

6
$3 \div 3 + 3 \div 3 = 2$
$(3 \times 3 - 3) \div 3 = 2$

$3 \times 3 - (3+3) = 3$
$(3-3) \times 3 + 3 = 3$
$(3+3+3) \div 3 = 3$

$(3 \times 3 + 3) \div 3 = 4$

$3 + 3 - 3 \div 3 = 5$

$(3+3) \div 3 \div 3 = 6$
$(3+3) \times 3 \div 3 = 6$
$3 + 3 \times 3 \div 3 = 6$

$3 + 3 + 3 \div 3 = 7$

$3 \times 3 - 3 \div 3 = 8$

$3 \times 3 \times 3 \div 3 = 9$

$3 \times 3 + 3 \div 3 = 10$

8 7

106 · C03 혼합 계산

🔵 네 개의 4와 +, −, ×, ÷, ( )를 이용하여 1부터 12까지의 수 중에서
없는 수를 만들어 시계를 완성하시오. (단, 숫자를 두 개 이어 붙여 두 자리 수
를 만들어도 됩니다.)

$(44+4) \div 4 = 12$
$44 \div 44$
$4 \times 4 \div 4 \div 4 = 1$
$(44-4) \div 4 = 10$
$4 \div 4 + 4 \div 4 = 2$
$4 \div 4 + 4 + 4 = 9$
$(4+4+4) \div 4 = 3$
$4+4-4+4 = 8$
$4+4-4 \div 4 = 7$
$(4 \times 4 + 4) \div 4 = 5$
$44 \div 4 - 4 = 7$
$(4+4) \div 4 + 4$

memo

상 장

이 름 : _____

위 어린이는 **팩토 연산 C03권**을
창의적인 생각과 노력으로 성실히
잘 풀었으므로 이 상장을 드립니다.

20 년 월 일

매 스 티 안